MAURICE SAINDON ET SUZANNE SAINDON

J'  MOTS MYSTÈRES

120 GRILLES THÉMATIQUES

D0611080

éditions
BRAVO!

© Maurice Saindon, Suzanne Saindon et
Les Publications Modus Vivendi inc., 2018

Publié par les Éditions BRAVO!, une division de
LES PUBLICATIONS MODUS VIVENDI INC.
55, rue Jean-Talon Ouest
Montréal (Québec) H2R 2W8
CANADA

groupemodus.com

Président-directeur général : Marc G. Alain
Directrice éditoriale : Isabelle Jodoin
Designer graphique de la couverture : Gabrielle Lecomte
Infographiste : Vicky Masse-Chaput
Correctrice : Francine St-Jean

ISBN : 978-2-89670-290-9

Financé par le gouvernement du Canada

Imprimé au Canada

TABLE DES MATIÈRES

Truc des auteurs :
Vous aurez plus de chances de réussir si vous commencez par repérer les mots les plus longs.

COMMENT JOUER

Repérez dans la grille tous les mots de la liste et encerclez les lettres qui les composent, puis trouvez le mot caché à l'aide des lettres restantes.

Exemple :

R	E	U	S	O	E	R	E	B	L	M	E
U	E	L	B	H	C	P	E	I	L	J	R
E	B	O	C	E	R	C	T	T	O	E	V
U	U	U	U	U	U	U	U	U	U	U	U
S	R	S	E	V	O	G	R	P	S	M	E
L	E	B	I	O	R	N	I	I	E	R	O
N	A	L	P	N	A	I	N	T	U	Y	N
L	U	T	I	L	E	E	E	E	A	E	A
G	E	R	I	A	R	O	H	R	E	F	M
R	R	E	I	T	N	A	H	C	I	U	A
E	R	U	T	C	A	F	U	N	A	M	I
N	O	I	T	C	U	D	O	R	P	R	N

B
Bleu (2)
Bureau

C
~~Chantier~~

E
Erg

F
Fatigue

H
Heure
Horaire

J
~~Journalier~~

L
Labeur

M
~~Main~~
Manœuvre
~~Manufacture~~
Muter

O
Occupé
Outil
Ouvrier

P
Paie
Plan
Production

R
Ruche

S
Suer
Sueur

U
Usine
Usiner
Utile

THÈME : CHAUSSURE
8 lettres cachées

E	C	R	E	I	N	N	O	D	R	O	C
L	O	N	I	S	S	A	C	O	M	S	S
L	T	B	D	E	I	P	N	G	E	E	P
I	H	O	A	C	U	I	R	S	U	L	A
R	U	T	I	B	P	S	S	A	Q	F	R
D	R	T	M	R	O	A	O	B	A	U	T
A	N	E	A	C	D	U	D	O	L	O	I
P	E	C	Q	O	E	E	C	T	C	T	A
S	S	U	G	L	R	I	I	H	L	N	T
E	E	L	U	R	I	U	C	P	E	A	E
O	T	M	E	L	A	D	N	A	S	P	S
N	O	L	A	T	P	E	L	L	O	R	G

B
Babouche
Botte

C
Claque
Cordonnier
Cothurne
Cuir (2)

D
Daim

E
Escarpin
Espadrille

G
Godasse
Grolle

M
Mocassin
Mule

P
Paire
Pantoufles
Pied (2)

S
Sabot
Sandale

Socque
Spartiate

T
Talon

THÈME : LE TEMPS DES FÊTES
9 lettres cachées

S	A	P	E	R	E	I	T	R	U	O	T
F	L	M	E	T	N	E	S	E	R	P	S
G	E	E	O	R	N	R	E	N	N	A	C
U	E	E	O	U	E	L	U	O	B	V	E
I	E	N	T	N	R	N	I	T	U	L	C
R	R	I	X	R	E	T	O	X	U	O	H
L	B	M	C	U	A	D	I	E	U	T	O
A	M	E	L	R	A	C	E	R	L	O	R
N	E	H	O	E	L	E	O	R	L	L	A
D	C	C	C	N	O	N	D	N	B	E	L
E	E	U	H	N	N	I	P	A	S	R	E
D	D	B	E	E	H	C	E	R	C	G	A

A
Amour
Arbre de Noël

B
Bas
Boule
Bûche

C
Cadeaux
Canne
Carte
Cheminée
Chorale
Cloche
Couronne
Crèche

D
Décembre
Décoration

F
Fée

G
Grelot
Guirlande

H
Houx

L
Lutin

P
Père Noël
Présent

R
Renne (2)
Repas

S
Sapin

T
Tourtière

THÈME : SERPENT
10 lettres cachées

R	M	E	X	U	E	M	I	N	E	V	O
A	U	R	L	S	I	F	F	L	E	P	S
R	E	E	E	I	N	R	L	P	H	V	S
B	T	P	T	A	T	E	E	I	M	I	E
O	S	M	J	C	N	P	O	U	N	P	D
C	A	A	A	O	I	G	E	T	D	E	I
R	R	R	R	R	R	R	R	R	R	R	R
O	E	O	D	A	B	A	T	F	A	E	B
T	C	I	P	A	T	O	U	S	D	E	U
A	N	H	J	I	A	E	C	U	N	B	L
L	I	A	E	N	O	H	T	Y	P	O	O
E	N	R	A	D	N	O	C	A	N	A	C

A
Anaconda

B
Boa

C
Céraste
Cobra (2)
Colubridés
Constricteur
Coronelle
Crotale

D
Dard

M
Mue
Muer

N
Naja (2)
Nid

O
Œuf
Ophiographie

P
Python

R
Ramper
Ratier
Reptile

S
Siffle

V
Venimeux
Vipère

T	E	T	N	O	C	A	M	I	L	O	C
N	E	R	D	N	E	C	S	E	D	C	O
E	T	A	G	E	R	R	A	C	R	R	N
M	P	P	O	E	G	A	C	E	U	O	T
E	R	M	A	R	D	O	M	E	E	T	R
H	A	V	A	L	U	A	R	L	N	A	E
C	N	O	N	R	I	F	L	A	O	L	M
R	C	L	B	L	F	E	C	V	R	A	A
A	H	E	L	I	H	N	R	A	I	C	R
M	E	E	H	C	R	A	M	T	G	S	C
M	R	C	E	L	A	R	I	P	S	E	H
E	E	D	A	R	T	S	U	L	A	B	E

B
Balustrade

C
Cage (2)
Carré
Colimaçon
Contremarche
Courbe
Crémaillère

D
Degré
Descendre

E
Échelle
Échiffre
Emmarchement
Escalator
Étage

G
Giron

M
Marche

P
Palier

R
Rampe
Rancher

S
Spirale

V
Vis
Volée

THÈME : MALFAITEUR

10 lettres cachées

T	I	D	N	A	B	N	O	R	R	A	L
C	T	A	R	E	L	E	C	S	P	F	G
A	F	R	U	E	U	T	I	V	R	E	N
M	C	L	N	O	R	I	N	I	U	S	A
B	A	U	I	A	Y	A	P	S	E	C	G
R	N	O	E	B	B	O	I	O	T	R	A
I	A	L	V	R	U	R	V	F	N	O	N
O	I	I	O	I	G	S	O	N	A	C	G
L	L	F	L	N	I	E	T	F	H	M	S
E	L	L	E	R	G	E	P	I	C	E	T
U	E	R	U	V	A	U	R	I	E	N	E
R	N	I	R	D	N	A	L	A	M	R	R

B
Bandit

C
Cambrioleur
Canaille
Chanteur

E
Escroc

F
Filou
Flibustier
Forban (2)
Fripouille

G
Gang
Gangster

L
Larron

M
Mafia
Malandrin

N
Nervi

P
Pègre (2)

S
Scélérat

T
Tueur

V
Vaurien
Voleur
Voyou

E	N	O	R	E	H	C	U	O	M	E	O
S	L	E	I	L	I	C	U	L	M	R	R
U	B	I	B	I	O	N	V	R	N	I	E
E	T	S	H	A	I	L	E	O	E	S	N
N	A	S	T	P	S	D	A	S	R	T	N
N	C	Y	I	O	O	T	Y	P	T	A	O
O	H	R	L	P	M	R	I	A	S	L	D
B	I	P	Y	O	P	O	E	C	E	E	R
R	N	H	R	H	V	I	X	T	O	T	U
A	A	E	E	E	E	S	T	E	S	T	O
H	E	L	L	E	C	U	L	O	V	A	B
C	P	U	P	E	N	I	S	S	O	L	G

A
Aile
Asticot

B
Bibion
Bourdonner

C
Charbonneuse

E
Éristale

G
Gastérophile
Glossine

H
Hypoderme

L
Lucilie

M
Moucheron

O
Œstre

P
Pupe

S
Stomoxe
Syrphe (2)

T
Tachina
Taon
Tsé-tsé

V
Vol
Volucelle

THÈME : BOISSON
7 lettres cachées

L	R	T	S	A	O	T	E	T	I	N	E
O	A	E	S	S	A	T	U	R	O	E	I
O	R	P	T	V	E	A	L	R	V	P	R
C	A	N	E	E	E	T	E	I	A	I	E
L	B	R	R	R	T	B	O	I	E	T	V
A	N	R	S	M	I	V	L	B	O	I	U
E	E	O	E	B	A	L	I	R	I	V	E
V	I	I	S	U	E	M	T	N	I	R	B
F	R	A	B	S	V	S	E	P	U	O	C
L	E	T	O	H	I	A	O	L	V	G	N
E	R	V	I	B	R	O	G	I	L	N	E
T	E	R	A	B	A	C	B	E	F	E	R

A
Alcool

B
Bar (2)
Beuverie
Biberon
Bistrot
Boisson
Breuvage

C
Cabaret
Coupe

E
Eau

H
Hôtel

I
Ivre (2)
Ivrogne

L
Laper
Lie

M
Mamelle

N
Noir

P
Paille

R
Ribote

S
Soif (2)

T
Tasse
Taverne
Téter
Tétine
Toast

V
Verre
Vin

THÈME : COLORANT
10 lettres cachées

E	H	C	E	P	M	A	C	C	I	E	E
C	E	D	E	U	G	A	A	A	A	R	N
O	N	N	R	D	C	M	R	M	Q	P	I
C	I	I	C	H	U	U	U	E	R	E	
H	E	M	O	S	E	C	E	S	O	U	C
E	L	U	G	O	R	R	L	L	S	O	S
N	A	R	S	U	C	U	U	E	I	P	E
I	T	E	C	I	O	C	O	T	N	G	R
L	H	X	T	T	I	C	S	E	A	O	
L	P	R	E	C	N	A	R	A	G	U	U
E	O	N	A	R	F	A	S	P	N	D	L
N	E	N	I	L	I	N	A	I	E	E	F

A
Aniline

C
Cachou
Campêche
Cochenille
Couleur
Curcuma (2)

E
Éosine

F
Fluorescéine

G
Garance
Gaude
Guède

I
Isatis

M
Murex

O
Ocre (2)

P
Pastel
Phtaléine
Pourpre

Q
Quercitron

S
Safran
Sumac (2)

THÈME : BRUIT
4 lettres cachées

D	R	A	B	M	A	H	C	I	R	E	C
T	E	G	A	P	A	T	R	O	C	R	R
R	O	C	T	E	P	A	N	O	L	E	I
U	R	N	R	A	V	F	U	B	A	N	S
E	A	O	N	I	L	P	C	R	P	N	S
M	L	S	R	E	B	C	A	U	O	O	E
A	E	A	M	P	R	M	E	I	T	R	R
L	H	E	E	H	D	R	O	T	I	N	U
C	N	T	C	A	L	F	E	R	S	O	M
T	E	E	M	R	A	C	A	V	V	R	R
R	E	S	O	N	N	E	M	E	N	T	U
O	T	N	E	M	E	P	P	A	L	C	M

B
Bruit

C
Chambard
Charivari
Clameur
Clapotis
Clappement
Coup
Cri
Crisser

E
Éclat

F
Flac

M
Murmure

P
Pet
Péter

R
Râle
Ramdam
Résonnement
Ronflement
Ronronner

S
Son

T
Tapage
Tonnerre

V
Vacarme

THÈME : FORME

7 lettres cachées

E	E	T	G	N	O	L	B	O	S	C	L
M	R	U	U	O	C	R	A	P	D	O	E
R	C	S	Q	B	O	E	H	F	N	N	M
O	O	S	U	I	U	E	I	G	A	T	R
F	N	O	N	Q	R	L	T	N	R	O	O
F	I	B	I	I	T	D	A	O	G	U	F
I	Q	B	Q	E	A	D	N	I	R	R	I
D	U	U	L	N	M	C	D	I	R	S	C
C	E	A	G	E	A	I	S	R	L	E	N
U	V	L	R	R	F	I	N	O	O	Y	U
O	E	E	R	I	A	L	U	C	R	I	C
R	U	E	S	S	I	A	P	E	E	G	T

A
Angle
Arc

B
Bossu

C
Carré
Circulaire
Conique
Contours
Court
Cubique
Cylindrique

D
Difforme
Droit

E
Épaisseur

F
Fil
Fin

G
Grand
Gros

L
Long

M
Mince

O
Oblong
Ovale

S
Sphérique

T
Tors
Tubulaire

U
Unciforme
Uni

15

THÈME : CHIEN
8 lettres cachées

D	R	A	N	R	E	B	T	N	I	A	S
P	S	O	P	A	P	I	L	L	O	N	X
E	H	C	I	N	A	C	E	C	A	R	O
R	D	E	S	O	G	E	T	U	E	M	F
E	A	D	B	T	N	L	O	E	K	P	N
K	N	R	I	O	E	L	R	E	X	O	B
C	O	A	N	V	U	S	X	O	F	I	R
O	I	G	R	O	L	V	S	F	O	N	E
C	S	I	L	E	S	S	I	A	L	T	T
R	E	G	R	E	B	R	I	E	B	E	T
R	L	U	E	N	G	A	P	E	R	R	E
E	U	G	O	D	E	L	U	O	B	S	S

B
Basset
Berger
Bouledogue
Bouvier
Boxer

C
Caniche
Cocker

D
Danois

E
Épagneul (2)

F
Fox (2)

G
Garde
Griffon

L
Laisse
Lévrier
Loulou

M
Meute

O
Os (2)

P
Papillon
Pointer

R
Race

S
Saint-Bernard
Setter

THÈME : FOURRURE
9 lettres cachées

N	A	K	A	R	T	S	A	R	A	V	T
A	T	N	I	P	A	L	O	L	P	C	A
N	O	S	I	V	Y	T	L	E	E	A	U
O	L	B	T	N	S	I	A	S	A	R	P
H	E	E	X	A	H	U	S	H	O	A	E
C	C	C	C	C	C	C	C	C	C	C	C
N	O	U	N	U	O	A	A	H	I	U	U
A	M	I	I	N	V	N	R	V	A	L	R
M	H	R	S	R	A	A	E	A	E	T	E
C	N	E	A	U	E	T	I	M	C	T	U
N	A	T	G	E	T	I	M	R	S	U	I
S	E	I	R	E	T	E	L	L	E	P	L

A
Astrakan

B
Boa

C
Caracul (2)
Castor
Chat (2)
Chinchilla
Civette
Cuir (2)

E
Écureuil

G
Guanaco

L
Lapin
Lynx

M
Manchon
Mite (2)

O
Ocelot

P
Peau
Pelleteries

R
Ras
Rat

S
Sconse

T
Tan
Taupe

V
Vair
Vison

THÈME : À TABLE !

8 lettres cachées

E	L	L	E	D	N	A	H	C	A	E	T
H	P	S	E	R	V	I	C	E	L	E	H
O	S	P	C	T	R	V	S	I	I	T	E
R	N	I	A	P	I	E	S	E	S	T	R
S	U	L	F	N	T	N	I	O	U	E	E
D	P	A	E	M	E	R	U	V	J	H	L
O	F	H	E	T	E	C	E	E	A	C	L
E	T	L	S	T	O	N	P	V	O	R	I
U	U	U	U	U	U	U	U	U	U	U	U
V	N	S	P	T	O	O	P	N	T	O	C
R	E	E	T	S	E	E	C	I	E	F	C
E	M	L	E	T	T	E	I	V	R	E	S

C
Café
Chandelle
Coupe
Couteau
Couvert
Cuillère

F
Flûte
Fourchette

H
Hors-d'œuvre

J
Jus

M
Menu (2)

N
Nappe

P
Pain
Plat

R
Ravier

S
Sel
Service
Serviette
Soucoupe
Soupe

T
Thé (2)

U
Ustensile

V
Vin (2)

THÈME : ÉCLAIRAGE
6 lettres cachées

E	R	A	H	P	B	O	U	G	I	E	E
P	E	R	E	H	C	R	O	T	N	R	C
M	V	R	S	X	U	L	T	O	E	I	N
A	E	L	B	O	C	O	E	I	F	A	E
L	R	A	L	A	L	N	L	R	L	D	C
U	B	N	A	A	L	E	U	R	A	A	S
M	E	A	F	U	D	E	I	T	M	P	E
I	R	F	S	N	U	E	D	L	B	M	R
E	E	T	A	L	N	O	E	N	E	A	O
R	R	H	E	N	R	E	T	N	A	L	U
E	C	E	L	U	O	P	M	A	U	C	L
T	N	E	C	S	E	N	I	M	U	L	F

A
Ampoule

B
Bougie

C
Candélabre
Chandelier

F
Falot
Fanal
Flambeau
Fluorescence

L
Lampadaire
Lampe
Lanterne
Lueur
Lumière
Luminescent
Lustre
Lux

N
Néon (2)

P
Phare

R
Réverbère

S
Soleil

T
Torchère

THÈME : MANIÈRES

7 lettres cachées

S	R	U	E	O	M	T	A	C	T	C	E
E	E	T	T	E	U	Q	I	T	E	T	R
I	S	F	E	F	F	A	G	R	T	N	R
R	I	A	I	C	R	T	E	E	I	E	E
E	A	C	N	I	I	M	U	U	M	I	M
T	E	O	A	C	O	Q	S	R	A	T	E
N	N	N	M	N	N	A	E	E	N	N	N
A	I	S	I	A	G	G	L	G	I	I	T
L	T	E	R	E	L	V	I	L	E	A	S
A	U	F	S	E	S	I	A	E	U	M	M
G	O	E	D	U	T	I	B	A	H	R	E
E	R	V	I	V	R	I	O	V	A	S	E

A
Air
Aise (2)
Allure

C
Cérémonie

E
Errements
Étiquette

F
Façons
Franquette

G
Gaffe
Galanterie

H
Habitude

M
Maintien
Manie (2)
Mœurs

R
Règle (2)
Routine

S
Savoir-vivre

T
Tact
Tic

U
Usage

R	I	D	U	A	L	P	P	A	G	P	N
E	N	I	A	T	I	M	S	N	O	O	M
L	I	I	G	T	E	N	I	R	H	I	A
U	T	C	A	L	R	O	M	C	E	G	N
P	A	B	N	M	P	A	N	U	T	N	U
I	P	O	T	A	N	A	N	G	A	E	E
N	E	X	S	U	M	P	I	E	T	E	L
A	R	E	C	C	L	O	A	T	H	F	I
M	I	U	F	A	D	L	R	U	A	T	G
E	R	E	C	R	I	R	E	I	M	P	N
E	C	R	E	P	L	A	P	T	H	E	E
E	E	R	R	E	T	T	A	L	F	C	S

A
Applaudir

B
Boxe

C
Cal (2)
Carpe
Chiromancie

D
Doigt

E
Écrire (2)

F
Flatter

G
Gants

L
Lignes

M
Main
Manchon
Manipuler
Manucure
Manuel
Mitaine

P
Palper
Paume
Poignée
Poing

T
Tape (2)
Tâte
Tenir
Thénar

THÈME : MALADIE

9 lettres cachées

N	E	I	M	E	D	I	P	E	S	S	E
L	O	R	E	T	S	E	L	O	H	C	S
A	L	S	I	R	V	B	N	R	Y	A	U
T	E	C	I	C	A	A	A	C	P	R	E
I	P	A	A	R	T	G	S	H	O	L	I
P	R	N	U	E	E	E	E	O	C	A	G
O	E	C	T	R	Q	U	R	L	O	T	A
H	N	E	A	U	E	E	G	E	N	I	T
I	C	R	E	N	R	I	C	R	D	N	N
E	A	L	C	U	C	L	L	A	R	E	O
E	L	A	C	E	T	E	B	A	I	D	C
E	S	U	R	I	V	E	R	V	E	I	F

A
Acné (2)

C
Cancer (2)
Choléra
Cholestérol
Contagieuse
Cure

D
Diabète

E
Épidémie

F
Fièvre

G
Guérison

H
Hôpital
Hypocondrie

I
Ictère
Incurable

L
Lèpre

R
Rage (2)

S
Scarlatine
Séquelle

T
Tétanos

V
Virus

E	R	T	A	E	H	T	R	A	C	T	E
R	L	L	E	U	T	I	R	I	P	S	L
I	G	L	E	C	R	A	F	R	E	H	L
D	C	A	I	E	T	H	O	R	C	A	I
I	I	O	G	V	U	L	E	R	E	K	E
C	M	C	M	M	E	I	E	C	I	E	N
U	A	A	O	I	L	D	O	S	P	S	R
L	D	U	S	O	Q	S	U	I	U	P	O
I	R	E	M	Q	T	U	E	A	G	E	C
S	O	E	T	U	U	C	E	D	V	A	J
E	L	I	M	C	E	E	I	N	O	R	I
R	E	E	T	N	A	S	U	M	A	E	E

A
Acte (2)
Amusant

C
Cid
Comique
Corneille
Costume

D
Drôle

F
Farce

G
Gag

H
Humour

I
Ironie

J
Jeu

M
Masque
Molière

P
Pièce (2)

R
Ridiculiser
Rire
Rôle

S
Sel
Shakespeare
Spirituel

T
Théâtre

V
Vaudeville

N° 19
THÈME : BOUCHE
6 lettres cachées

C	S	R	E	R	I	R	U	O	S	N	R
E	E	E	R	V	E	L	A	B	O	D	U
B	V	T	V	S	S	A	L	I	V	E	E
E	I	U	I	A	I	B	T	O	E	N	O
R	C	O	E	R	B	A	I	E	L	T	C
I	N	G	F	N	C	X	L	V	L	I	S
O	E	A	B	I	I	C	I	A	I	F	U
H	G	E	T	M	L	E	L	B	P	R	T
C	E	S	O	S	E	E	L	A	A	I	C
A	A	U	T	U	O	G	T	A	P	C	I
M	E	R	E	L	U	E	U	G	H	E	R
R	E	I	T	N	E	D	R	E	T	E	T

B
Balèvre
Bave (2)
Bec
Bée

C
Clapet
Cœur
Cri

D
Dentier
Dentifrice

F
Filet

G
Gencives
Goût
Goûter
Gueule

H
Haleine

M
Mâchoire
Mastication
Moue

P
Palais
Papille

R
Rictus

S
Salive
Sourire

T
Téter

V
Voix

R	E	U	S	O	E	R	E	B	L	M	E
U	E	L	B	H	C	P	E	I	L	J	R
E	B	O	C	E	R	C	T	T	O	E	V
U	U	U	U	U	U	U	U	U	U	U	U
S	R	S	E	V	O	G	R	P	S	M	E
L	E	B	I	O	R	N	I	I	E	R	O
N	A	L	P	N	A	I	N	T	U	Y	N
L	U	T	I	L	E	E	E	E	A	E	A
G	E	R	I	A	R	O	H	R	E	F	M
R	R	E	I	T	N	A	H	C	I	U	A
E	R	U	T	C	A	F	U	N	A	M	I
N	O	I	T	C	U	D	O	R	P	R	N

B
Bleu (2)
Bureau

C
Chantier

E
Erg

F
Fatigue

H
Heure
Horaire

J
Journalier

L
Labeur

M
Main
Manœuvre
Manufacture
Muter

O
Occupé
Outil
Ouvrier

P
Paie
Plan
Production

R
Ruche

S
Suer
Sueur

U
Usine
Usiner
Utile

THÈME : ALCOOL

7 lettres cachées

E	I	T	E	I	V	E	D	U	A	E	S
B	R	V	E	S	S	E	R	V	I	L	R
O	X	I	R	S	I	R	G	R	F	I	U
I	U	L	O	O	A	A	E	A	A	Q	E
S	E	G	U	B	G	L	P	L	R	U	P
S	U	I	E	O	L	N	A	V	E	E	A
O	T	N	I	I	A	M	E	R	R	U	V
N	I	V	T	R	B	S	R	R	V	R	S
F	R	S	A	I	E	E	G	C	I	H	O
E	I	B	C	R	V	R	I	O	N	E	U
D	P	E	T	E	I	R	B	E	E	N	L
E	S	E	M	S	I	L	O	O	C	L	A

A
Alambic
Alcoolisme

B
Bar (2)
Boire
Boisson

D
Distillerie

E
Eau-de-vie
Ébriété
Enivrer

F
Fine

G
Gin
Gris (2)

H
Hic

I
Ivre
Ivresse
Ivrognerie

L
Liqueur

N
Noir

P
Paf

S
Saoul
Soûl
Spiritueux

V
Vapeurs
Verre

THÈME : FAMILLE

7 lettres cachées

E	L	C	N	O	P	A	R	E	N	T	E
E	P	E	R	E	M	E	L	L	E	B	R
T	R	R	N	A	M	A	M	I	C	N	E
N	E	E	O	N	O	T	N	O	T	I	M
A	N	R	R	G	A	N	N	O	E	E	D
T	I	D	S	F	E	S	N	R	C	C	N
S	R	N	R	N	A	N	E	E	E	E	A
O	E	E	A	N	I	P	I	H	V	I	R
E	T	G	G	S	O	S	C	T	E	E	G
U	U	U	U	U	U	U	U	U	U	U	U
R	I	O	X	C	O	R	L	O	E	R	T
N	C	R	U	S	S	I	B	E	C	B	E

A
Aïeul

B
Belle-mère
Bru (2)

C
Consanguin
Cousin
Cousins

E
Époux

F
Frère

G
Gars
Gendre
Grand-mère

I
Issu

L
Lit

M
Maman

N
Neveu
Nièce
Noce

O
Oncle

P
Parenté
Père
Progéniture

S
Sœur
Souche

T
Tante
Tonton

U
Utérine

THÈME : INSTRUMENT DE MUSIQUE

7 lettres cachées

E	C	N	E	T	T	E	P	M	O	R	T
N	F	O	O	E	R	T	S	I	S	O	R
I	I	R	N	I	R	E	B	E	C	C	O
L	F	C	U	T	R	U	G	U	M	A	C
O	R	I	I	O	R	E	O	A	O	R	E
D	E	P	T	B	E	T	L	T	I	P
N	B	L	I	T	H	M	B	L	L	N	R
A	A	A	A	A	A	A	A	A	A	A	A
M	B	B	N	T	N	A	R	T	S	S	H
L	U	T	H	J	C	O	R	E	R	S	P
T	T	N	O	L	O	I	V	L	Y	R	E
E	E	L	L	E	C	N	O	L	O	I	V

A
Alto (2)

B
Banjo (2)

C
Cithare
Contrebasse
Cor (2)

F
Fifre

H
Harpe

L
Loure
Luth
Lyre

M
Mandoline

O
Ocarina

P
Piano
Psaltérion

R
Rebec

S
Sistre

T
Tambour
Tamtam
Trompette
Tuba (2)

V
Violon
Violoncelle

E	N	A	S	I	U	T	R	E	P	E	R
D	R	N	O	D	A	P	S	E	M	E	N
R	A	O	C	O	T	S	E	A	L	B	O
A	P	S	M	L	I	F	L	L	E	R	C
B	I	E	A	Y	L	Y	I	F	T	A	A
E	E	N	B	B	A	A	R	E	T	Q	M
L	R	I	E	T	R	L	N	R	A	U	A
L	E	A	A	R	T	E	C	C	L	E	R
A	T	G	E	E	E	E	P	E	E	M	T
H	A	F	L	E	U	R	E	T	M	A	S
N	E	G	R	E	B	M	A	L	F	R	E
E	V	I	A	L	G	D	U	E	L	T	A

A
Arme

B
Braquemart

C
Claymore

D
Duel

E
Épée
Espadon
Estoc
Estramaçon

F
Fer
Ferrailler
Fil
Flamberge
Fleuret

G
Gaine
Glaive

H
Hallebarde

L
Lame
Lance
Latte

P
Pertuisane

R
Rapière

S
Sabre

Y
Yatagan

Nº 25
THÈME : MÉTAUX
9 lettres cachées

E	R	U	C	R	E	M	P	M	E	T	E
L	E	K	C	I	N	L	U	R	N	U	S
P	C	N	I	Z	A	I	O	L	E	N	E
T	L	N	Z	T	N	E	E	A	D	G	N
N	N	O	I	I	N	E	M	N	B	S	A
E	C	N	M	A	R	P	Y	T	Y	T	G
G	E	U	T	B	T	C	D	H	L	E	N
R	L	I	I	L	Z	E	O	A	O	N	A
A	T	F	T	V	A	I	E	N	M	E	M
R	E	I	C	A	R	B	N	E	I	O	U
R	A	D	I	U	M	E	O	C	R	U	N
E	L	A	T	N	A	T	I	C	U	M	M

A
Acier
Aluminium
Argent

C
Cobalt
Cuivre

E
Étain

F
Fer

L
Lanthane

M
Manganèse
Mercure
Molybdène

N
Néodyme
Nickel

O
Or (2)

P
Platine
Plomb

R
Radium

T
Tantale
Titane
Tungstène

Z
Zinc (2)
Zirconium

E	N	R	O	M	N	R	I	A	C	D	N
E	G	E	R	E	L	L	I	D	R	O	C
H	S	A	E	T	N	E	P	A	T	E	A
C	V	C	P	I	C	A	N	I	E	R	I
N	O	A	A	L	D	G	P	P	M	T	G
A	L	B	C	R	A	H	A	I	M	S	U
L	C	U	E	T	P	O	E	C	O	E	I
A	A	T	N	O	M	E	M	N	S	P	L
V	N	O	E	R	I	V	M	B	G	L	L
A	M	S	O	U	L	A	N	E	R	A	E
N	O	I	T	A	V	E	L	E	N	E	F
I	E	N	I	A	R	O	M	N	E	T	E

A
Adret
Aiguille
Alpage
Alpestre
Avalanche

C
Cairn
Cordillère

E
Élévation
Escarpement

F
Fagne

M
Mont
Montagnard
Moraine
Morne

O
Ombrée

P
Pente
Pic (2)
Piton

S
Sommet
Soulane

U
Ubac

V
Vire
Volcan

N° 27
THÈME : DIAMANT
9 lettres cachées

C	E	U	Q	O	L	E	D	N	E	P	S
B	A	E	R	R	B	E	E	P	N	F	A
R	E	R	U	E	T	I	U	L	I	C	N
I	U	P	B	T	L	O	J	A	B	I	C
L	G	H	E	O	C	L	N	O	T	A	Y
L	N	V	M	B	N	C	I	N	U	C	T
A	A	A	A	A	A	A	A	A	A	A	A
N	G	G	F	I	C	M	D	R	T	V	L
T	U	E	L	P	A	L	A	O	U	R	C
E	U	L	S	D	U	T	E	A	S	I	E
X	E	U	A	E	E	R	E	V	I	L	C
S	R	S	I	T	E	L	L	I	U	E	F

A
Adamantin
Avril

B
Bague
Bijou
Brillant

C
Carat
Carbonado
Cliver
Coupe

E
Eau (2)
Éclat

F
Feuilletis
Feux
Fiançailles

G
Gangue

M
Macle

N
Navette

P
Pendeloque
Pur (2)

S
Sancy

T
Table
Tailler

E	T	N	E	R	T	N	S	I	O	R	T
L	C	E	Z	R	O	T	A	U	Q	E	U
L	T	G	N	I	V	X	O	U	Q	T	N
I	T	M	L	P	U	X	I	S	U	N	C
M	R	L	N	E	E	N	T	T	A	A	I
X	I	D	D	E	Z	I	E	R	T	R	N
M	L	L	A	E	U	I	C	P	R	A	Q
T	L	O	L	H	O	F	E	B	E	U	U
N	I	L	N	I	D	S	N	S	T	Q	A
E	O	R	E	Z	A	E	T	E	I	D	N
C	N	E	T	N	E	R	T	P	N	I	T
N	O	I	L	L	I	B	D	T	U	X	E

B
Billion

C
Cent (2)
Cinquante

D
Deux
Dix (2)
Douze

H
Huit

M
Mille
Milliard
Million

N
Neuf

O
Onze

Q
Quarante
Quatorze
Quatre
Quinze

S
Seize
Sept (2)
Six

T
Treize
Trente (2)
Trillion
Trois

U
Un
Unité

V
Vingt

Z
Zéro

THÈME : GLACE

7 lettres cachées

I	E	S	I	U	Q	N	A	B	N	F	C
N	E	L	I	S	E	R	G	O	V	O	E
L	E	V	S	F	R	O	I	D	N	N	R
A	R	U	E	A	U	T	E	G	Y	D	I
N	E	A	R	N	A	G	E	E	S	R	O
D	I	E	A	I	I	L	K	B	O	E	N
S	C	R	C	V	A	C	G	U	L	H	I
I	A	A	R	T	O	G	E	C	I	I	T
S	L	E	I	H	C	L	L	B	D	V	A
G	G	O	G	L	O	A	E	A	E	E	P
S	N	O	C	A	L	G	R	G	C	R	S
C	A	R	E	S	B	E	B	U	C	E	G

B
Banquise
Bloc

C
Congélation
Cube (2)

E
Eau (2)

F
Fondre
Froid

G
Gel
Geler
Givre
Glace
Glaciation
Glacière
Glaçons
Grésil

H
Hiver
Hockey

I
Iceberg
Inlandsis

N
Névé

P
Patinoire

S
Sérac (2)
Solide

R	T	E	N	G	A	P	M	A	H	C	D
U	E	D	U	B	O	N	N	E	T	C	C
E	D	A	N	N	O	R	T	I	C	H	A
U	A	E	U	H	L	I	N	O	O	A	K
Q	C	G	C	E	N	O	G	C	T	B	D
I	S	N	C	I	S	N	O	O	I	L	O
L	U	A	T	S	A	L	N	C	A	I	V
P	M	R	I	C	A	X	I	K	L	S	P
O	A	O	C	T	E	T	G	T	E	A	O
M	B	E	R	R	E	C	N	A	S	H	R
I	O	R	E	T	A	W	C	I	N	O	T
T	I	S	A	N	E	H	T	L	V	N	O

A
Alcool

B
Boisson

C
Chablis
Champagne
Chocolat
Citronnade
Cocktail
Cognac

D
Dubonnet

E
Eau

G
Gin

L
Lait
Liqueur

M
Martini
Muscadet

O
Orangeade

P
Porto
Punch

S
Sancerre

T
Thé (2)
Tisane
Tonic water

V
Vin
Vodka

X
Xérès

35

THÈME : FROMAGE
7 lettres cachées

O	E	M	M	O	T	O	R	A	V	I	L
T	N	A	S	E	M	R	A	P	R	P	E
N	R	A	F	O	N	D	U	E	O	E	C
O	G	E	M	S	U	C	H	N	Q	M	N
H	O	I	B	O	E	E	T	E	U	M	O
C	U	R	G	M	R	L	R	A	E	E	M
O	R	B	D	G	E	E	L	K	F	N	T
L	N	D	E	V	Y	M	A	O	O	T	P
B	A	X	E	U	E	D	A	M	R	H	E
E	Y	Q	R	E	I	R	B	C	T	A	S
R	U	G	R	E	T	S	E	H	C	L	M
E	R	E	C	A	M	T	N	A	U	P	R

B
Brie (2)

C
Camembert
Chester

E
Edam
Emmenthal

F
Fondue

G
Gex
Gouda
Gournay
Gruyère

L
Livarot

M
Marolles

O
Oka

P
Parmesan
Pont-l'Évêque
Puant macéré

R
Reblochon
Romano
Roquefort

S
Septmoncel

T
Tomme

P	E	A	T	I	G	E	E	B	O	R	E
P	R	N	B	R	M	A	L	E	G	O	T
T	I	O	V	U	O	O	N	E	T	C	T
E	C	L	T	E	U	H	T	T	E	A	E
S	S	S	S	S	S	S	S	S	S	S	S
A	O	I	E	C	E	T	L	A	R	Q	S
C	E	U	M	V	A	R	O	C	O	U	U
H	P	I	T	E	C	L	I	N	C	E	A
A	U	O	B	A	H	A	E	C	O	T	H
L	J	U	P	O	N	C	P	C	L	T	C
E	R	U	T	N	I	E	C	E	O	E	N
E	L	O	T	E	M	R	O	F	I	N	U

B
Bas
Blouse

C
Caleçon
Cape
Casquette
Ceinture
Châle
Chaussette
Chemise
Ciré (2)
Col
Corset
Costume

E
Étole

G
Gants

J
Jupe
Jupon

O
Obi (2)

R
Robe

S
Sac
Short
Slip
Soutane

T
Toge

U
Uniforme

V
Veste
Veston

THÈME : DIABLE
7 lettres cachées

D	U	E	F	S	R	E	F	I	C	U	L
E	U	Q	A	I	N	O	M	E	D	H	E
M	H	T	U	E	S	P	R	I	T	N	S
O	A	C	E	H	C	E	P	U	E	R	P
N	E	A	E	M	C	C	B	R	E	U	R
P	N	O	H	P	A	E	G	A	L	E	I
O	N	B	E	F	Z	U	D	T	U	T	T
S	E	R	E	L	M	A	D	E	O	A	D
S	H	U	E	E	B	A	O	I	G	T	U
E	E	B	N	F	M	A	L	B	T	N	M
D	G	E	I	N	N	E	I	I	R	E	A
E	T	N	E	P	R	E	S	D	N	T	L

A
Ange déchu

B
Belzébuth
Boa (2)

D
Damné
Démon
Démoniaque
Diable

E
Énergumène
Enfer
Esprit

F
Feu (2)

G
Géhenne
Goule

L
L'esprit du mal
Lucifer

M
Malin
Maudit

P
Péché (2)
Possédé

S
Satan
Serpent

T
Tentateur

E	D	I	D	E	M	A	S	E	I	M	J
R	E	I	H	I	D	E	R	D	N	E	V
B	C	S	R	A	M	B	N	E	U	R	D
M	E	O	T	F	M	U	N	D	S	C	I
E	M	E	C	E	L	U	I	T	E	R	M
V	B	E	T	T	L	M	U	U	M	E	A
O	R	P	L	E	O	L	J	O	A	D	N
N	E	M	J	I	L	B	I	A	I	I	C
S	R	A	S	U	R	L	R	U	N	A	H
M	U	R	V	R	I	V	I	E	E	M	E
A	O	D	E	E	N	N	A	U	S	F	I
I	J	I	R	E	I	V	N	A	J	E	R

A
Année
Août
Avril

D
Date
Décembre
Dimanche

F
Feuille

H
Hier

J
Janvier
Jeudi
Jour
Juillet
Juin (2)

L
Lundi
Lune

M
Mai (2)
Mardi
Mars
Mercredi
Mois

N
Novembre

O
Octobre

S
Samedi
Semaines
Septembre

V
Vendredi

THÈME : MAISON
12 lettres cachées

R	O	D	I	R	R	O	C	S	O	T	O
I	P	C	N	O	R	R	E	P	N	I	E
O	A	E	O	U	R	S	B	E	T	A	E
V	S	E	G	U	C	S	M	A	E	N	R
I	S	C	M	A	L	E	P	I	I	S	T
V	A	E	L	B	T	O	R	S	A	O	N
B	G	I	V	R	O	E	I	L	S	U	E
U	E	P	A	A	L	U	O	R	H	S	S
R	E	P	M	A	C	N	D	A	E	S	A
E	P	E	G	A	T	E	L	O	N	O	L
A	D	R	A	C	A	L	P	T	I	L	L
U	E	L	U	B	I	T	S	E	V	R	E

A
Appartement

B
Boudoir
Bureau

C
Cave
Corridor
Couloir
Cuisine

E
Entrée
Escalier
Étage (2)

G
Galerie

H
Hall

M
Mur

P
Passage
Patio
Perron
Pièce
Placard

S
Salle
Salon
Sous-sol

V
Vestibule
Vivoir

E	T	N	A	I	F	E	M	F	I	V	E
T	H	N	O	N	G	O	R	G	T	L	U
I	A	C	F	L	R	A	U	A	B	U	Q
L	R	C	O	O	A	R	C	I	O	N	I
I	G	M	S	N	R	I	T	F	C	A	L
B	N	E	A	U	T	P	V	H	H	T	O
I	E	E	O	U	E	E	A	O	E	I	C
C	U	B	R	C	S	G	N	M	J	Q	N
S	X	N	S	E	R	S	G	T	E	U	A
A	E	U	G	I	I	F	A	C	H	E	L
R	S	A	N	V	I	F	I	D	U	S	E
I	I	E	L	G	E	I	P	S	E	E	M

B
Bourru

C
Chagrine
Content

E
Espiègle

F
Fâché
Fière
Fou

G
Gai (2)
Grognon

H
Hargneux

I
Irascibilité

J
Jovial

L
Lunatique

M
Maussade
Méfiante
Mélancolique
Morose

P
Pâmé

S
Susceptible

T
Taciturne

V
Vif (2)

THÈME : FÊTE

8 lettres cachées

E	T	I	N	N	E	L	O	S	C	D	E
E	R	L	F	I	O	F	E	B	A	C	R
R	U	I	O	I	I	C	F	T	N	E	F
I	E	J	A	E	E	E	E	A	E	S	E
S	S	S	S	S	S	S	S	S	S	S	S
I	N	T	N	T	R	S	T	B	N	E	T
A	A	E	I	A	I	E	R	A	A	M	I
L	D	V	L	U	D	N	V	L	D	R	V
P	A	A	O	C	O	N	V	I	E	E	I
L	G	J	E	R	I	O	F	I	N	K	T
T	E	U	Q	N	A	B	A	L	T	N	E
R	E	R	O	M	E	M	M	O	C	E	A

A
Anniversaire

B
Bal (2)
Banquet

C
Commémorer
Convié

D
Danse
Danser
Danseur
Date

F
Festival
Festivité
Fiesta (2)
Foire

G
Gala

I
Invité

J
Joie

K
Kermesse

N
Noces

P
Plaisir

R
Réjouissance

S
Solennité

THÈME : COIFFURE
8 lettres cachées

N	O	I	R	O	M	T	E	R	E	B	T
E	B	U	T	M	E	E	S	Z	R	T	E
H	A	O	S	M	E	G	R	E	É	E	L
C	C	M	R	A	I	L	I	A	D	F	U
U	A	A	A	B	L	T	O	I	I	I	P
O	P	S	U	N	O	A	A	N	B	T	A
B	U	S	Q	N	A	D	D	O	M	T	C
R	C	K	A	U	E	P	N	E	O	A	T
A	H	C	E	M	E	N	B	L	T	Z	O
T	O	B	E	P	E	T	A	I	U	E	Q
R	N	E	R	T	I	C	T	O	B	F	U
E	L	L	I	T	N	A	M	E	E	I	E

A
Armet
Attifet

B
Béret
Bibi
Bonnet

C
Calot
Canotier
Capuchon
Capulet
Casquette

D
Diadème

F
Fez (2)

G
Gibus

K
Képi

M
Mantille
Melon
Morion

P
Panama

S
Salade

T
Tarbouche
Tiare
Toque
Tube (2)

THÈME : HIVER

8 lettres cachées

M	R	U	E	H	C	N	A	L	B	P	N
N	I	T	A	P	D	R	A	L	U	O	F
C	O	R	E	I	R	V	E	F	I	U	E
A	H	E	T	E	P	M	E	T	E	D	G
R	E	A	L	R	A	I	A	U	G	R	A
N	R	S	U	R	E	S	T	Q	I	E	N
A	U	K	S	F	I	I	N	U	E	R	I
V	D	I	A	R	F	K	V	E	N	I	T
A	I	N	O	E	L	A	S	N	I	E	A
L	O	B	E	C	A	L	G	I	A	G	P
N	R	E	S	A	L	G	R	E	V	J	E
A	F	E	S	O	V	I	N	L	E	G	S

A
Arborisation

B
Blancheur

C
Carnaval
Chauffage

F
Février
Foulard
Froidure

G
Gel
Glace

J
Janvier

M
Mars

N
Neige (2)
Nivôse
Noël (2)

P
Patin
Patinage
Poudrerie

S
Ski (2)

T
Tempête
Tuque

V
Verglas

O	B	T	U	S	S	P	E	N	T	E	R
E	L	G	N	A	E	N	M	O	A	A	D
E	I	E	P	C	O	B	E	I	I	L	S
A	N	M	S	G	O	E	R	S	D	I	P
E	O	O	Y	U	R	T	O	U	R	S	H
C	N	L	G	R	N	N	E	L	O	O	E
E	O	O	A	A	N	E	H	C	I	C	R
P	L	C	G	E	T	G	N	T	E	E	E
O	I	C	M	I	L	N	E	O	E	L	N
I	G	E	R	A	R	A	E	C	P	E	O
N	N	G	G	E	X	T	R	P	E	Y	C
T	E	E	A	R	C	E	N	T	R	E	H

A
Aigu
Angle
Arc
Axe

C
Carré
Centre
Cercle
Compas
Conclusion
Cône
Côté
Courbe

D
Droite

E
Égal

H
Hypoténuse

I
Isocèle

L
Ligne

O
Obtus

P
Pentagone
Pente

Plan
Point
Polygone

R
Raisonnement

S
Sphère

T
Tangente
Théorème
Trigone

THÈME : FROID
11 lettres cachées

G	E	E	L	G	N	O	E	V	E	N	E
R	E	S	A	L	G	R	E	V	C	U	E
E	V	L	U	O	Z	N	G	R	Q	D	G
L	E	E	I	E	L	G	E	I	R	E	I
O	N	A	R	F	L	V	F	O	L	T	E
T	R	O	I	A	I	I	N	U	E	F	N
T	I	E	C	H	R	C	R	B	S	R	L
E	S	O	Z	O	O	E	A	F	I	I	E
R	N	N	G	L	A	C	E	T	B	S	G
L	A	I	C	A	L	G	P	R	I	S	E
A	R	B	O	R	I	S	A	T	I	O	N
F	T	E	R	U	D	I	O	R	F	N	N

A
Arborisation

B
Bise (2)

F
Frigorifique
Frileuse
Frisson
Froidure

G
Gel
Gelure
Gélification

Glace
Glace
Glacial
Glaçon
Grelotter

H
Hiver

N
Neige
Névé (2)
Nord

O
Onglée

P
Pris

T
Transir

V
Verglas

Z
Zéro (2)

E	E	R	I	A	T	E	R	C	E	S	C
C	U	R	E	I	L	E	S	S	I	A	V
S	H	Q	L	I	E	I	A	M	N	C	R
I	F	I	E	A	L	U	B	A	N	E	T
E	T	T	F	H	A	Ì	P	A	B	R	A
G	N	U	C	F	T	E	B	C	R	I	B
E	O	O	O	O	O	O	O	O	B	O	O
P	E	S	R	U	F	N	I	A	M	M	U
B	A	H	U	T	S	F	N	L	I	R	R
E	R	F	F	O	C	C	R	I	B	A	E
L	V	O	L	T	A	I	R	E	E	I	T
R	U	E	S	I	V	E	L	E	T	R	B

A
Armoire

B
Bahut
Banc (2)
Bar
Ber
Bibliothèque

C
Canapé
Chiffonnier
Coffre (2)
Console

L
Lit

M
Maie
Mobilier

P
Pouf

S
Secrétaire
Siège
Sofa

T
Tabouret
Téléviseur
Trône

V
Vaisselier
Voltaire

THÈME : AUTORISATION

6 lettres cachées

T	D	E	T	R	E	B	I	L	L	N	C
D	N	R	E	D	R	O	C	C	A	O	O
I	R	E	O	S	I	M	D	A	G	I	N
M	I	T	M	I	B	P	K	E	E	S	S
I	T	P	E	I	T	I	C	O	L	S	E
S	N	E	L	F	T	N	E	R	G	I	N
S	E	C	I	I	E	N	E	N	E	M	T
O	S	C	C	U	U	E	I	R	R	E
I	N	A	I	M	I	O	V	S	B	E	M
R	O	L	T	I	O	L	S	E	S	P	E
E	C	R	E	D	E	C	C	A	R	A	N
R	E	C	S	E	I	U	Q	C	A	T	T

A
Accéder
Accepter
Accorder
Acquiescer
Admis
Assentiment

B
Bien (2)

C
Consentement
Consentir

D
Dimissoire
Droit

F
Feu vert

L
Légal
Liberté
Licence
Licite
Loi

O
OK
Oui

P
Permission

R
Règle

E	R	O	N	O	S	E	T	S	I	P	A
R	U	E	T	C	A	C	P	E	M	E	R
I	E	E	N	I	C	R	G	A	R	U	E
M	D	G	T	P	M	A	V	F	K	V	M
P	A	A	O	T	T	N	I	J	I	E	A
R	C	M	E	N	E	G	C	R	N	D	C
E	S	I	O	F	U	D	O	N	E	E	T
S	A	M	I	R	S	L	E	U	S	S	R
A	C	L	A	T	E	S	T	V	C	I	I
R	M	N	A	I	O	L	U	N	O	R	C
I	T	R	E	N	R	U	O	T	P	P	E
O	I	R	A	N	E	C	S	R	E	O	N

A
Acteur
Actrice

C
Caméra
Cascadeur
Ciné

E
Écran

F
Figurant
Film

I
Image
Imprésario

K
Kinescope

M
Montage

N
Nu (2)

P
Piste sonore
Prise de vue

R
Rôle (2)

S
Scénario
Son
Star

T
Tourner

V
Vamp (2)
Vedette

THÈME : CALENDRIER
12 lettres cachées

I	D	E	R	C	R	E	M	D	I	A	M
S	A	E	N	I	A	M	E	S	A	H	N
P	E	E	R	S	A	M	E	D	I	T	N
M	N	N	S	E	T	A	D	V	A	I	E
E	N	N	M	E	I	I	E	O	U	R	R
T	O	A	R	O	P	R	U	J	B	O	B
N	I	S	V	E	T	T	V	M	E	C	M
I	S	A	R	S	I	U	E	E	A	T	E
R	I	I	L	I	R	V	A	M	F	O	C
P	V	S	T	U	O	A	N	I	B	B	E
S	I	O	M	N	R	S	R	A	M	R	D
E	D	N	T	E	L	L	I	U	J	E	E

A
Année
Août (2)
Automne
Avril

D
Date (2)
Décembre
Division

F
Février

H
Hiver

J
Janvier
Juillet
Juin

M
Mai
Mars
Mercredi
Mois

N
Novembre

O
Octobre

P
Printemps

S
Saison
Samedi
Semaine
Septembre

E	S	A	G	E	P	C	E	P	H	E	E
S	E	R	A	T	N	A	L	E	I	C	A
U	T	N	E	M	A	M	R	I	F	L	L
E	B	E	U	P	O	C	O	M	U	E	D
G	R	D	L	A	U	R	I	M	D	R	E
L	I	A	V	L	E	R	I	U	L	I	B
E	L	R	E	N	A	N	T	O	A	G	A
T	L	O	G	T	O	I	R	L	N	E	R
E	A	D	A	S	N	V	R	U	O	L	A
B	N	L	I	G	I	R	A	E	O	U	N
E	C	T	A	S	U	I	R	I	S	F	P
E	E	M	X	I	R	T	A	L	L	E	B

A
Aldébaran
Antarès

B
Bellatrix
Bételgeuse
Brillance

C
Céphée
Ciel

D
Dorade

E
Éclat

F
Firmament
Fourneau

H
Hercule

L
Loup
Luminosité

M
Magnitude
Mira

N
Nova

O
Orion

P
Pégase

R
Rigel

S
Sirius
Stellaire

V
Véga

THÈME : FEUILLE

5 lettres cachées

N	O	S	I	A	D	N	O	R	F	N	C
N	I	P	A	S	F	O	L	I	O	L	E
E	E	E	R	S	E	L	I	S	S	E	S
G	C	T	E	E	E	N	I	A	G	M	N
A	A	I	N	V	N	A	L	N	H	O	E
L	D	O	A	E	L	M	E	A	E	R	L
L	U	L	F	L	R	R	O	G	M	T	L
I	Q	E	I	O	V	R	R	T	I	E	I
U	U	U	U	U	U	U	U	T	U	T	U
E	E	G	R	L	O	B	E	C	E	A	G
F	I	E	R	B	R	A	C	T	E	E	I
R	E	N	N	E	P	I	R	A	P	D	A

A
Aiguille
Arbre
Automne

B
Bourgeon
Bractée

C
Caduque

D
Décurrente

F
Faner
Feuillage
Feuillaison
Foliole
Frondaison

G
Gaine

L
Lame
Lobe

M
Morte

N
Nervure

P
Paripenné
Pétiole

R
Rougir

S
Sapin
Sessile
Sève

T
Tige

E	E	T	E	I	C	E	P	O	L	A	E
V	E	T	R	E	H	C	E	M	I	R	T
U	O	R	T	E	C	R	E	P	U	P	T
A	N	U	C	A	S	H	E	F	E	E	E
H	D	E	F	F	N	S	F	P	L	R	U
C	U	D	R	E	R	I	E	R	C	R	Q
H	L	N	A	V	O	I	E	A	U	U	A
I	A	O	N	C	G	L	S	I	O	Q	L
G	T	L	G	N	A	R	C	E	B	U	F
N	I	B	E	S	S	O	R	B	R	E	U
O	O	E	R	U	T	N	I	E	T	E	O
N	N	E	L	U	C	I	L	L	E	P	R

A
Alopécie

B
Blondeur
Boucle
Brosse

C
Chauve
Chignon
Coiffure
Cran
Crépu

E
Épi

F
Frange
Friser

M
Mèche

N
Natte

O
Ondulation

P
Peigne
Pellicule
Perruque

R
Raie
Rouflaquette

T
Teinture
Tressé

THÈME : HABITATION
10 lettres cachées

T	D	R	P	I	D	I	N	E	S	D	E
N	O	L	E	T	O	H	R	E	I	C	R
E	M	M	A	S	M	E	S	N	A	P	E
M	A	N	O	S	I	A	M	S	L	R	I
E	I	E	O	M	C	D	T	D	A	O	N
G	N	C	U	O	I	E	E	D	P	P	N
O	E	A	A	A	L	M	T	N	A	R	O
L	H	B	B	B	E	G	O	I	C	I	C
C	A	S	E	U	A	T	I	E	G	E	R
R	I	I	R	T	E	N	T	E	R	T	A
U	A	E	T	A	H	C	E	L	O	E	G
T	N	E	M	E	T	R	A	P	P	A	E

A
Appartement

C
Cabane
Case (2)
Castel
Château
Chaumière

D
Demeure
Domaine
Domicile

G
Garçonnière
Geôle
Gîte

H
Hôtel

I
Igloo
Isba (2)

L
Logement

M
Maison
Mas

N
Nid (2)

P
Palais
Propriété

R
Résidence

T
Tente

T	E	H	T	X	U	A	V	E	H	C	D
R	T	S	A	R	I	E	P	I	S	T	E
O	A	U	R	R	A	M	P	O	N	E	Y
P	R	P	A	U	N	P	G	J	J	I	S
S	E	P	I	S	O	A	E	T	O	R	T
T	F	T	E	D	G	C	I	D	C	A	F
E	N	L	R	E	I	A	I	S	K	C	R
T	L	O	U	I	G	T	M	L	E	E	U
E	M	R	L	A	E	O	E	B	Y	A	T
E	E	A	L	A	R	R	S	U	L	K	Y
U	D	O	B	S	T	A	C	L	E	E	N
R	P	G	T	E	T	E	L	I	B	A	H

A
Amble

C
Chevaux
Course

D
Départ

E
Étalon
Étrier

F
Fer

G
Gageure
Galop

H
Habileté
Harnais
Hippodrome

J
Jockey
Joie

L
Lad
Licou

M
Mors

O
Obstacle

P
Pari
Piste
Poney

R
Race
Rapidité
Ruée

S
Saut
Selle
Sport
Sulky

T
Tête (2)
Trot
Turf

THÈME : FÉE
5 lettres cachées

E	C	N	A	S	S	I	U	P	E	C	S
N	O	E	E	D	O	U	C	E	U	R	E
C	N	F	D	N	N	I	M	E	Q	R	G
H	A	O	G	I	A	R	N	L	I	B	I
A	M	R	R	E	A	I	B	O	G	A	E
N	S	M	A	H	T	I	V	R	A	G	N
T	I	U	C	B	E	U	G	I	M	U	S
E	L	L	E	N	O	N	A	E	V	E	E
M	A	E	F	P	T	S	N	E	S	T	D
E	T	A	E	N	I	O	S	O	B	T	E
N	I	M	O	R	G	A	N	E	B	E	E
T	E	R	T	I	A	R	A	P	P	A	F

A
Aide
Apparaître

B
Baguette
Beauté
Bienfait
Bonne

C
Carabosse
Charme

D
Douceur

E
Enchantement

F
Fée des neiges
Formule

G
Geste
Grâce

M
Magique
Morgane

P
Pouvoir
Puissance

R
Rôle

S
Soin (2)

T
Talisman

V
Viviane

E	O	I	R	A	S	E	R	P	M	I	E
C	T	H	E	A	T	R	E	L	A	G	T
O	S	X	N	T	R	A	I	R	A	R	S
M	A	T	E	I	P	F	T	N	M	E	I
P	N	S	A	T	T	J	N	E	E	P	N
O	O	E	A	R	O	O	R	T	N	L	O
S	I	L	C	U	S	S	B	C	I	I	G
I	T	O	E	R	S	T	C	A	C	Q	A
T	C	R	E	C	A	R	T	E	C	U	T
I	I	P	E	C	I	N	E	E	N	E	O
O	D	N	E	I	D	E	M	O	C	E	R
N	E	T	E	R	P	R	E	T	N	I	P

A
Acte
Art (2)

C
Cabotin
Ciné
Cinéma
Comédien
Composition

D
Diction

E
Écran

F
Film

I
Imprésario
Interprète

J
Jouer

P
Personnage
Protagoniste

R
Réplique
Rôles

S
Scène (2)
Star

T
Texte
Théâtre
Trac

THÈME : ARMURE
10 lettres cachées

A	M	T	E	R	E	I	T	I	B	U	C
R	T	E	R	E	L	O	S	P	R	G	E
R	N	L	N	E	R	O	T	E	M	R	A
E	O	E	T	T	F	E	E	E	E	E	N
T	R	T	D	C	O	M	D	L	C	V	O
D	T	N	F	A	U	N	L	R	U	E	R
E	S	A	C	A	L	I	N	T	A	E	U
L	A	G	E	E	U	A	S	I	F	B	T
A	L	H	C	O	I	C	S	S	E	O	N
N	P	U	N	T	E	M	R	A	O	R	I
C	R	E	I	S	S	O	D	E	N	T	E
E	G	E	R	E	I	L	U	A	P	E	C

A
Armet (2)
Arrêt de lance

B
Barder

C
Ceinturon
Cubitière
Cuissot

D
Dossier

E
Écu (2)
Épaulière

F
Faucre
Fer (2)

G
Gantelet
Genouillère
Grève

H
Heaume

M
Mentonnière

P
Plastron

S
Salade
Soleret

E	R	U	T	L	U	C	E	O	L	I	S
E	P	M	A	H	C	G	F	I	E	P	L
I	M	R	U	R	A	L	A	R	O	A	E
R	A	E	R	R	E	T	P	R	R	R	R
I	H	R	U	F	E	R	C	U	E	A	U
A	C	T	O	B	E	M	R	M	M	T	E
R	A	I	O	C	E	N	R	I	E	O	T
P	N	E	O	R	E	R	A	E	S	I	C
E	U	L	R	U	A	E	V	I	F	R	A
F	T	E	R	U	D	R	E	V	S	E	R
E	T	R	E	V	I	T	L	U	C	O	T
S	O	L	C	N	E	G	N	A	R	G	N

A
Aratoire

B
Bétail
Bœuf

C
Champ (2)
Cultiver
Culture

E
Enclos

F
Fenaison
Ferme
Foin

G
Grange

P
Pâturage
Porc
Prairie
Pré

R
Récolte
Rural (2)

S
Semer
Silo

T
Terre (2)
Tracteur

V
Veau
Verdure

THÈME : ÉTÉ
8 lettres cachées

T	S	U	E	R	R	E	T	R	A	P	L
E	C	E	N	I	C	S	I	P	A	M	I
L	E	D	A	N	G	I	A	B	R	P	E
A	E	L	A	H	A	L	E	E	L	T	L
H	P	C	A	M	A	H	G	A	R	O	O
C	A	E	E	F	P	A	T	A	U	N	S
V	R	R	L	N	T	E	B	B	E	D	E
P	E	O	O	O	F	R	I	S	L	E	D
L	G	Z	P	O	U	K	G	U	A	U	N
A	A	N	R	N	I	S	E	E	H	S	I
G	N	M	I	N	A	G	E	R	C	E	A
E	E	R	I	R	E	I	L	I	O	V	B

B
Baignade
Bain de soleil
Bikini
Brunir

C
Chalet
Chaleur

G
Gazon
Golf

H
Hâle (2)
Hamac

M
Mer

N
Nager (2)

P
Parterre
Pelouse
Piscine
Plage
Plate-forme
Potager

S
Suer (2)

T
Tondeuse

V
Vacance
Voilier

THÈME : ROCHE
11 lettres cachées

H	E	U	Q	I	N	A	C	L	O	V	C
T	R	S	E	R	G	N	E	N	R	M	R
A	E	M	I	R	O	C	H	E	A	C	I
P	C	A	S	I	U	S	C	G	S	B	S
S	I	A	V	E	C	I	M	X	I	E	T
D	F	U	I	E	F	A	H	E	A	T	A
L	L	L	L	L	L	L	L	L	L	L	L
E	I	B	G	I	L	I	S	I	T	A	L
F	A	R	G	C	A	O	G	S	U	S	I
S	E	N	T	I	O	E	U	R	F	A	N
S	E	E	S	U	E	R	O	P	A	B	E
E	R	I	A	T	N	E	M	I	D	E	S

A
Argile

B
Banc
Basalte

C
Caillou
Cristalline

E
Écueil
Éluvion

F
Feldspath

G
Grès (2)

I
Ignée

L
Liais

M
Magma

P
Poreuse

R
Récif (2)
Roc
Roche

S
Sable
Sédimentaire
Sial (2)
Silex

T
Tuf

V
Volcanique

THÈME : DANSE
7 lettres cachées

E	N	N	E	I	V	O	C	A	R	C	E
A	S	E	N	I	U	G	I	B	S	L	D
H	P	L	S	A	T	O	J	E	L	G	N
C	A	A	A	I	M	A	G	E	O	M	A
A	V	B	S	V	A	U	T	V	G	E	B
H	A	M	A	S	E	N	S	O	N	N	A
C	N	A	P	D	E	B	O	E	A	U	R
A	E	S	I	R	O	P	J	L	T	E	A
H	T	L	A	L	A	B	I	A	O	T	S
C	L	T	E	U	G	I	G	E	V	P	E
E	D	R	A	B	M	I	U	G	D	A	T
E	O	N	O	T	S	E	L	R	A	H	C

B
Bal
Biguine
Boléro

C
Chachacha
Charleston
Cracovienne

G
Gigue
Guimbarde

J
Java
Jota

M
Menuet
Musette

P
Pas
Passe-pied
Pavane
Polonaise

S
Samba
Sarabande
Séguedille

T
Tango
Tarentelle

V
Valse

O	F	E	M	O	L	O	H	C	I	R	T
T	U	E	R	I	A	V	A	L	C	N	A
E	E	E	F	F	U	R	T	O	O	A	M
T	O	L	C	E	R	O	P	S	L	T	A
E	B	U	L	L	C	R	N	R	L	A	D
D	E	S	E	E	I	I	O	E	Y	S	O
E	D	S	V	N	R	T	N	P	B	T	U
N	E	U	L	P	A	E	O	E	I	E	V
E	I	R	O	G	G	E	T	C	E	L	I
G	O	C	V	L	A	M	E	A	Y	O	E
R	F	E	L	L	O	R	I	G	R	B	R
E	L	L	E	M	U	O	C	U	O	C	E

A
Agaric
Amadouvier

B
Bolet Satan

C
Cèpe
Clavaire
Clitocybe
Collybie
Coprin (2)
Coucoumelle
Craterelle

F
Foie de bœuf

G
Girolle

L
Lame

R
Russule

S
Spore

T
Tête-de-nègre
Tricholome
Truffe

V
Volve

THÈME : HYDROGRAPHIE
7 lettres cachées

L	A	N	A	C	T	N	E	R	R	O	T
A	L	A	V	A	T	I	O	R	T	E	D
N	I	U	E	U	G	R	O	P	L	D	O
E	T	E	A	U	B	C	E	E	C	A	L
H	N	V	E	E	E	A	S	M	F	C	E
C	A	U	I	A	S	S	S	F	E	S	S
L	R	E	N	L	I	S	L	S	T	A	T
D	U	L	I	U	A	U	I	S	I	C	U
E	O	F	R	M	E	C	R	U	E	N	A
B	C	S	O	N	E	T	I	E	R	O	I
I	N	N	T	E	R	E	I	V	I	R	R
T	T	M	A	R	E	E	G	A	I	T	E

A
Affluent
Amont
Aval (2)

B
Bassin

C
Canal
Cascade
Chenal
Courant
Crue

D
Débit
Détroit

E
Estuaire
Étiage
Étier (2)

F
Fil
Fleuve

G
Gué (2)

L
Lac
Lit

M
Marée
Mer

O
Océan

R
Rivière
Ruisseau
Ruisselet

T
Torrent

E	T	R	E	N	I	S	S	U	O	R	I
C	R	E	D	T	N	P	E	S	E	C	N
L	O	I	R	A	E	P	R	D	C	O	S
E	P	M	B	E	O	R	N	E	F	G	P
T	P	I	M	S	I	E	U	F	F	N	E
I	A	L	T	I	H	C	I	S	E	E	C
R	R	E	N	E	S	C	I	L	F	E	T
O	E	M	R	A	I	S	B	R	T	D	E
T	E	P	T	E	R	R	A	A	U	N	U
U	P	A	R	G	O	U	S	I	N	O	R
A	E	M	R	O	F	I	N	U	R	R	S
N	O	I	T	I	S	I	U	Q	R	E	P

A
Appréhender
Argousin
Arme
Arrêt
Autorité

B
Ban (2)

C
Cogne
Commissaire

F
Flic

I
Inspecteur

L
Limier
Loi

O
Officier

P
Perquisition
Poste
Préfet

R
Rapport
Ronde
Roussin

S
Sbire
Souricière
Sûreté

U
Uniforme

THÈME : ENSEIGNEMENT

7 lettres cachées

E	N	O	I	T	C	U	R	T	S	N	I
S	R	U	O	C	E	V	E	L	E	N	R
U	L	I	I	E	L	O	C	E	S	C	U
N	C	B	A	Y	E	E	R	T	E	N	E
I	E	L	C	N	T	V	I	X	M	L	S
V	G	E	G	O	I	T	A	T	O	M	S
E	E	C	N	L	U	M	E	C	L	A	E
R	L	O	A	T	E	V	E	C	P	I	F
S	L	N	R	N	E	E	E	S	I	T	O
I	O	I	E	R	V	I	L	N	D	R	R
T	C	A	B	R	E	I	D	U	T	E	P
E	T	L	U	C	A	F	E	D	U	T	E

A
ABC

B
Bac
Brevet

C
Collège
Cours
Couvent

D
Diplôme

E
École (2)

Élève
Étude
Étudier
Examen

F
Faculté

I
Institutrice
Instruction

L
Leçon
Livre (2)
Lycée

M
Maître

N
Note

P
Professeur

R
Rang

S
Séminaire

U
Université

E	L	L	I	A	R	B	N	E	I	H	C
T	A	C	T	E	T	I	C	E	C	A	T
T	X	U	E	Y	R	N	V	I	N	E	A
E	R	N	O	E	I	L	U	N	T	O	T
N	E	N	G	R	O	B	E	I	P	S	O
U	H	O	M	F	N	B	R	A	T	E	N
L	C	T	A	I	L	U	C	G	O	R	N
G	U	A	I	A	C	I	U	R	M	B	E
U	O	B	N	S	T	I	M	E	B	E	M
I	T	C	B	E	D	N	O	I	R	N	E
D	H	O	S	E	R	R	E	V	E	E	N
E	T	T	E	L	G	U	E	V	A	T	T

A
Aveuglette

B
Bâton
Borgne
Braille

C
Canne blanche
Cécité
Chien

G
Guide (2)

L
Lunette

M
Main

N
Noir (2)
Nuit

O
Obscurité
Œil
Ombre
Opacité

T
Tact
Tâtonnement
Ténèbres
Toucher

V
Verres
Vue

Y
Yeux

THÈME : CHENILLE

9 lettres cachées

E	T	C	E	S	N	I	L	R	A	P	U
L	S	A	R	A	M	P	E	R	E	N	A
U	E	L	P	N	P	V	P	N	C	O	E
B	G	E	A	O	O	E	I	O	H	I	N
I	M	L	I	R	N	C	D	C	E	T	N
D	E	L	E	T	V	U	O	O	N	A	A
N	N	I	E	I	O	E	P	C	I	T	P
A	T	U	S	M	O	I	T	L	L	P	O
M	S	E	O	L	O	S	E	N	L	E	I
E	N	F	I	E	R	B	R	A	O	R	L
E	I	R	E	L	A	G	E	P	I	N	E
S	D	E	D	I	L	A	S	Y	R	H	C

A
Anneau
Arbre
Arpenteuse

C
Chrysalide
Cocon (2)

E
Échenilloir
Épine

F
Feuille

G
Galerie

I
Insecte

L
Larve
Lépidoptère

M
Mandibule
Mou

N
Nid

P
Poil (2)

R
Ramper
Reptation

S
Segment
Soie (2)

V
Ver

B	D	S	E	T	T	E	H	C	E	L	F
I	N	I	A	R	T	E	S	U	T	Q	E
L	T	R	A	I	N	E	E	B	T	C	R
L	U	E	A	B	E	P	B	E	E	A	U
E	I	U	H	P	O	E	U	S	N	M	T
S	T	N	U	C	N	L	C	R	N	I	I
O	O	O	O	O	O	O	O	O	O	O	O
D	P	L	I	L	U	H	U	B	I	N	V
A	E	V	D	R	L	T	L	O	R	Y	S
R	A	S	S	A	I	A	L	T	A	O	R
D	R	A	I	L	T	E	B	S	M	Y	U
S	E	T	E	T	E	S	S	A	C	O	O

A
Auto
Avion

B
Ballon
Billes

C
Camion
Casse-tête
Cubes (2)

D
Dards
Dés
Diabolo

E
Épée

F
Fléchettes

H
Hochet

M
Marionnette

O
Ours (2)
Outil

P
Poupée

R
Rail
Robot

S
Soldats

T
Train (2)

V
Voiture

Y
Yoyo

THÈME : AUTOMOBILE

7 lettres cachées

R	U	E	T	A	I	D	A	R	E	T	A
U	E	L	A	D	E	P	U	S	N	C	E
E	C	T	L	U	N	E	I	A	C	E	S
T	O	N	R	E	T	R	L	E	L	I	S
A	F	T	I	O	B	O	L	L	C	O	U
N	F	O	M	E	V	E	E	R	E	R	I
R	R	P	R	T	R	I	T	O	I	R	E
E	E	A	E	A	B	F	S	U	N	U	G
T	P	C	T	U	E	N	P	E	T	O	L
L	O	E	R	U	E	T	O	M	U	C	A
A	U	I	E	R	T	L	I	F	R	R	C
R	U	E	T	A	L	I	T	N	E	V	E

A
Accélérateur
Alternateur

B
Bielle

C
Capot
Ceinture
Coffre
Courroie

E
Essuie-glace

F
Filtre
Frein

M
Moteur (2)

P
Parebrise
Pédale
Pneu

R
Radiateur
Rétroviseur
Roue

T
Toit

V
Ventilateur
Volant

E	A	L	O	V	E	E	T	T	A	B	A
N	V	O	L	E	R	H	H	E	A	T	R
A	I	P	E	O	A	C	G	R	T	E	M
L	A	R	A	U	V	A	I	E	D	L	O
P	T	E	T	L	L	M	R	A	E	O	N
O	I	D	O	L	E	R	W	T	P	R	O
R	O	A	O	S	I	L	S	H	P	T	M
E	N	C	C	S	P	I	E	O	I	N	O
A	E	A	S	I	P	L	R	V	L	O	T
D	L	A	S	A	I	L	E	S	O	C	E
E	G	T	E	C	A	L	R	R	T	N	U
E	E	T	E	S	T	T	F	T	E	J	R

A
Ader (2)
Aéroplane
Ailes
Atterrissage
Aviation

C
Contrôle

D
Décollage

E
Élevon
Escale

F
Frères Wright

H
Haut
Hélice

J
Jet

L
Lacet

M
Mach
Monomoteur

P
Pale
Pilote
Piste (2)

T
Test

V
Vol (2)
Voler

THÈME : CAMBRIOLAGE

6 lettres cachées

A	N	N	O	I	T	C	A	R	F	F	E
S	E	G	A	L	L	I	R	G	C	S	P
N	I	M	R	O	E	L	A	O	S	E	A
O	L	E	G	V	R	R	F	I	B	T	T
I	V	N	E	M	U	F	A	C	I	I	R
T	O	A	N	M	R	C	S	L	L	R	O
C	L	C	T	E	R	A	A	E	L	U	U
N	E	E	F	I	E	A	C	F	E	C	I
A	U	O	O	E	S	E	N	T	T	E	L
S	R	R	T	E	R	R	A	I	I	S	L
T	I	E	M	I	T	C	I	V	A	O	E
T	E	T	T	E	N	I	A	H	C	M	N

A
Action
Argent
Arrêt

B
Billet

C
Chaînette
Clef
Coffre-fort

E
Effraction

G
Grillage

L
Lien

M
Main armée
Menace

P
Patrouille

R
Recel

S
Sac
Sanctions
Sécurité
Serrure

T
Tiroir-caisse

V
Victime
Vol
Voleur

N	O	E	G	R	U	O	B	S	L	R	R
R	E	L	F	E	E	C	N	E	M	E	S
A	P	I	R	M	A	C	G	V	V	C	T
S	E	R	A	E	U	E	F	E	I	N	I
P	R	V	I	S	D	L	I	A	H	A	E
O	E	A	S	N	E	L	M	A	S	S	D
U	I	U	V	U	T	R	S	E	E	S	E
T	L	A	R	R	U	A	U	F	V	I	U
I	B	S	M	O	I	Q	N	D	E	A	R
T	A	F	M	S	A	L	E	I	R	N	C
S	R	A	O	P	T	R	E	V	E	E	R
A	E	N	R	I	D	R	E	V	E	R	V

A
Amour
Avril (2)

B
Bourgeon

C
Crue

D
Dégel

E
Eau
Érablière

F
Fleurs
Frais

M
Mai (2)

P
Pâques
Printanier

R
Raspoutitsa
Renaissance
Réveil
Reverdir

S
Saison
Semence
Semer
Sève (2)

T
Tiédeur

V
Verdure
Vert

THÈME : CONVERSATION

13 lettres cachées

M	E	T	E	T	A	E	T	E	T	I	N
T	O	D	E	G	A	G	N	A	L	S	C
E	E	T	I	T	S	T	E	R	E	E	O
L	R	J	S	A	R	O	C	L	G	S	M
E	E	L	U	E	L	O	P	A	O	A	M
P	S	V	T	S	Q	O	L	O	J	R	U
H	R	I	O	A	E	L	G	A	R	H	N
O	E	C	L	I	I	L	S	U	U	P	I
N	V	A	S	B	X	E	T	E	E	U	Q
E	N	T	A	R	R	E	L	R	A	P	U
E	O	B	C	O	M	M	E	R	A	G	E
M	C	E	G	A	D	R	A	V	A	B	R

B
Babillage
Bavardage

C
Commérage
Communiquer
Converser
Coq-à-l'âne

D
Dialogue

E
Entretien

J
Jaser

L
Langage

M
Mots (2)

P
Parler
Phrases
Propos

S
Sel (2)
Sujet

T
Téléphone
Tête-à-tête

V
Voix

E	M	M	O	H	N	O	B	G	G	R	L
T	N	E	M	E	I	A	L	B	E	D	C
P	O	N	U	A	E	A	E	V	L	H	E
O	E	L	E	V	C	L	I	S	A	N	S
U	T	R	E	I	L	H	E	S	V	A	U
D	E	N	E	E	G	T	S	K	I	G	E
R	P	R	P	G	T	E	I	I	N	G	L
E	M	E	V	E	N	E	M	S	S	O	F
R	E	S	U	E	E	O	G	E	R	B	F
I	T	Q	I	B	A	N	C	U	N	O	U
E	A	G	N	O	C	O	L	F	L	T	O
R	E	R	U	E	H	C	N	A	L	B	S

B
Banc
Blancheur
Bonhomme

C
Chasse-neige
Congère

D
Déblaiement

E
Eau
Enneigement

F
Flocon

G
Glacier

H
Hiver

L
Luge

N
Névé (2)
Nival

P
Pelle
Poudrerie

R
Raquettes

S
Skis
Souffleuse

T
Tempête
Toboggan
Tôlée

THÈME : CÉRÉALE
9 lettres cachées

N	G	R	L	I	E	T	E	M	E	E	A
O	S	L	I	M	E	O	E	S	S	T	N
S	I	U	A	U	R	G	C	P	M	E	S
P	A	F	Q	G	R	O	O	E	T	L	E
I	M	R	E	O	U	Y	H	U	P	L	I
E	U	O	R	R	R	A	L	G	I	I	G
T	T	M	G	A	N	G	M	T	R	M	L
I	P	E	C	B	S	N	M	I	I	O	E
N	O	N	U	E	R	I	R	U	D	G	S
N	E	T	E	L	B	A	N	I	R	O	E
F	A	R	I	N	E	R	N	S	Z	U	N
E	N	I	O	V	A	G	N	A	R	B	D

A
Amidon
Avoine

B
Blé
Bran (2)

C
Caryopse

D
Durum

E
Épi (2)
Escourgeon
Éteule

F
Farine
Froment

G
Gluten
Grain
Gruau

M
Maïs
Méteil
Mil
Millet

O
Orge (2)

P
Piétin

R
Riz

S
Sarrasin
Seigle
Son
Sorgho

T
Tige
Turquet

THÈME : ALPINISME

10 lettres cachées

E	N	G	A	T	N	O	M	O	N	T	I
P	R	I	S	E	P	P	A	R	A	V	N
A	R	E	R	U	S	S	I	F	R	P	U
S	I	R	N	O	T	I	P	O	O	E	O
C	H	R	E	D	R	O	C	N	E	S	C
E	C	G	E	C	R	H	E	T	E	C	I
N	N	H	I	H	A	C	E	L	C	A	R
S	A	P	A	S	C	M	O	L	B	L	T
I	R	S	S	U	M	O	O	R	C	A	S
O	F	I	E	O	T	U	R	I	D	D	C
N	E	T	S	I	N	I	P	L	A	E	R
R	I	U	P	P	A	R	I	V	A	R	G

A
Alpiniste
Appui
Ascension

C
Câble
Clou
Corde

E
Escalader

F
Fissure
Franchir

G
Gravir

H
Haut

M
Mont
Montagne

P
Pic (2)
Piton
Prise

R
Rochassier
Rocher

S
S'encorder
Sommet

T
Tricouni

V
Varappe

THÈME : ÉCRITURE
10 lettres cachées

O	L	Y	T	S	O	N	O	Y	A	R	C
O	E	G	R	A	M	L	N	O	T	E	R
R	T	E	N	R	A	C	Y	O	S	E	S
T	I	N	E	E	N	I	M	T	T	E	G
H	U	G	N	I	A	V	I	R	C	E	N
O	A	I	C	H	A	T	A	R	M	A	R
G	E	L	R	A	S	C	E	U	P	P	D
R	L	E	E	C	A	T	L	I	A	C	I
A	B	T	I	R	A	P	Y	G	P	B	C
P	A	T	A	I	I	R	E	L	I	A	T
H	T	R	R	E	L	L	I	U	E	F	E
E	E	E	C	O	L	E	R	I	R	C	E

A
ABC

C
Cahier
Carnet
Carte
Craie
Crayon

D
Dactylo
Dictée

E
École
Écrire

Écrivain
Encre

F
Feuille

L
Lettre
Ligne
Lire

M
Marge
Mine

N
Noter (2)

O
Orthographe

P
Page
Papier
Plume

S
Secrétaire
Style
Stylo

T
Tableau

THÈME : PIERRE PRÉCIEUSE
10 lettres cachées

P	E	T	S	Y	H	T	E	M	A	E	A
I	T	O	P	A	Z	E	R	U	D	N	I
E	U	O	C	H	E	T	S	A	C	I	G
R	R	S	U	L	R	I	J	A	E	T	U
R	Q	A	A	R	B	H	L	D	O	N	E
E	U	P	Y	U	M	C	U	P	S	E	M
D	O	H	R	P	E	A	A	O	D	P	A
E	I	I	U	D	R	L	L	A	X	R	R
L	S	R	O	E	E	A	J	I	Y	E	I
U	E	I	M	L	I	M	T	E	N	S	N
N	N	E	N	I	R	T	I	C	O	E	E
E	I	L	U	Z	A	L	S	I	P	A	L

A
Aigue-marine
Améthyste

C
Calcédoine
Citrine

D
Dure

E
Émeraude

J
Jade (2)

L
Lapis lazuli

M
Malachite

O
Onyx
Opale (2)

P
Pierre de lune
Pure

R
Rubis

S
Saphir
Serpentine

T
Topaze
Tourmaline
Turquoise

THÈME : VÉHICULE

4 lettres cachées

E	L	O	I	R	R	A	C	E	M	E	E
R	U	E	T	C	A	R	T	T	O	T	T
C	D	E	O	T	U	A	L	T	T	T	T
A	R	D	T	D	T	C	A	E	E	E	E
R	A	R	E	I	O	E	N	L	C	N	N
R	L	A	L	L	M	N	D	C	N	N	N
O	L	B	O	I	O	I	A	Y	A	O	O
S	I	M	I	G	B	L	U	C	L	I	G
S	B	I	R	E	I	R	L	I	U	M	R
E	R	U	B	N	L	E	E	B	B	A	U
T	O	G	A	C	E	B	T	O	M	C	O
F	C	V	C	E	U	A	D	N	A	L	F

A
Ambulance
Auto
Automobile

B
Berline
Bicyclette

C
Cabriolet
Camionnette
Car

Carriole
Carrosse
Corbillard

D
Diligence

F
Fourgonnette
(2)

G
Guimbarde

L
Landau
Landaulet

T
Tracteur

V
Van

R	E	I	R	U	S	U	R	I	E	R	T
L	R	A	T	E	I	R	E	R	D	A	L
I	A	E	T	I	D	I	V	A	I	G	P
A	V	E	U	H	U	V	P	P	R	E	A
R	A	M	O	T	C	R	A	I	R	T	R
D	E	O	C	A	E	R	P	A	C	I	C
E	D	N	C	M	P	P	D	E	H	D	I
R	I	O	I	E	E	I	R	O	I	I	M
A	D	C	S	S	N	T	N	N	E	P	O
P	R	E	O	S	E	T	A	G	N	U	N
R	O	U	U	E	A	L	S	R	R	C	I
E	S	L	S	F	C	R	A	S	S	E	E

A
Âpre (2)
Avare
Avidité

C
Cents
Chien
Coût
Crasse
Cupidité

E
Économe
Écu

F
Fesse-mathieu

G
Grippe-sou

L
Ladrerie
Lésiner
Liarder

O
Or

P
Parcimonie
Pingre

R
Radin
Rapiat
Rat (2)

S
Sordide
Sous

U
Usurier (2)

THÈME : BALEINE

5 lettres cachées

I	M	S	E	C	A	T	E	C	U	E	E
T	R	A	V	I	V	I	P	A	R	E	R
E	I	F	M	S	U	A	E	S	M	M	E
C	A	A	R	M	A	N	A	A	Y	G	I
A	H	N	E	R	I	N	U	N	S	Y	N
M	C	O	M	E	E	F	O	O	T	P	I
R	S	N	L	S	V	G	E	J	I	O	E
E	O	A	P	E	E	R	A	R	C	U	L
P	B	E	R	R	N	E	A	N	E	M	A
S	C	I	D	G	T	M	R	R	T	O	B
E	O	E	H	C	N	A	R	F	E	N	E
N	A	E	C	O	G	R	A	I	S	S	E

B
Baleineau
Baleinière

C
Cétacés
Chair

E
Eau (2)
Espèce
Évent

F
Fanon
Franche

G
Graisse
Gras

J
Jonas (2)

M
Mammifère
Mer (2)
Mysticètes

N
Nager
Noire

O
Océan

P
Poumons
Pygmée

R
Rare

S
Spermaceti

V
Vivipare

S	T	R	A	P	E	R	I	A	F	N	T
E	B	E	L	P	U	O	C	T	U	N	N
L	E	S	C	N	N	B	O	P	E	E	I
L	N	S	A	O	I	D	T	M	S	O	O
I	E	E	U	C	R	I	E	N	I	P	J
A	D	M	T	E	A	T	E	U	A	U	N
S	I	O	E	L	N	P	E	S	X	M	O
U	C	R	L	E	S	B	S	G	O	U	C
O	T	P	S	I	A	I	U	I	E	N	N
P	I	N	D	N	O	Q	T	U	D	I	O
E	O	E	C	N	A	I	L	L	A	O	J
C	N	A	N	N	E	A	U	E	T	N	T

A
Alliance
Anneau
Autel

B
Ban
Bénédiction

C
Conjoint
Consentement
Couple
Cortège

D
Deux
Dispense
Dot (2)

E
Épousailles

F
Faire-part

J
Jonc

M
Moitié

N
Noce
Nuptial

O
Oui

P
Passion
Promesse

U
Union
Unir

THÈME : CLOCHE

9 lettres cachées

E	E	C	C	T	N	I	A	R	I	A	T
N	Z	O	L	G	N	O	D	C	L	N	C
N	N	U	O	O	S	A	L	O	E	O	A
O	O	P	I	A	C	O	T	M	N	S	M
L	R	C	L	O	C	H	E	T	G	G	P
L	B	G	H	H	R	T	A	R	A	E	A
I	D	O	E	A	N	F	E	I	E	B	N
R	I	R	U	I	S	L	F	L	L	C	I
A	N	H	T	R	O	S	O	E	S	L	L
C	G	E	T	T	D	V	E	O	B	O	E
E	N	N	O	R	U	O	C	H	O	C	N
E	P	A	H	C	R	E	N	N	O	S	N

A
Airain

B
Battant
Beffroi
Bourdon
Bronze

C
Campanile
Carillonne
Chape
Chasse

Choc
Clochaille
Clocher
Coup
Couronne

D
Ding
Dong (2)

G
Glas
Grelot

S
Son (2)
Sonner

T
Tintement

V
Volée

R	A	M	E	H	C	U	A	C	C	E	E
T	N	E	M	M	A	T	I	U	N	T	R
E	N	T	I	U	N	I	M	U	N	N	B
N	R	O	E	V	E	R	L	Y	O	E	M
R	I	U	C	O	U	E	C	D	S	M	O
U	M	T	T	T	D	T	O	X	O	E	E
T	R	D	I	R	A	D	C	U	M	L	T
C	O	R	I	L	E	M	H	E	M	F	O
O	D	A	O	E	R	V	B	F	E	N	I
N	L	P	R	I	O	N	U	U	I	O	L
C	E	A	M	A	J	Y	P	O	L	R	E
E	T	I	R	U	C	S	B	O	C	E	S

C
Cauchemar
Clair de lune
Couverture

D
Dodo
Dormir
Drap

E
Étoiles

F
Feux

L
Lit

M
Minuit

N
Noctambule
Nocturne
Noir
Nuitamment
Nyctalope

O
Obscurité
Ombre

P
Pyjama

R
Rêve
Ronflement

S
Sommeil

85

THÈME : ŒUF

8 lettres cachées

E	L	U	O	P	E	T	N	O	P	E	R
N	O	F	D	N	O	I	S	O	L	C	E
I	V	C	U	U	A	E	N	U	A	J	V
M	I	O	H	E	R	C	C	B	E	E	U
U	D	V	L	O	O	I	V	L	R	E	O
B	U	A	B	Q	R	I	U	A	O	Z	C
L	C	L	U	T	T	I	P	N	L	A	P
A	T	E	A	E	D	I	O	C	C	L	O
V	E	C	L	O	V	I	M	N	E	A	N
O	I	L	E	O	D	I	N	I	N	H	D
C	U	U	E	L	L	I	U	Q	O	C	R
S	F	E	T	T	E	L	E	M	O	E	E

B
Blanc

C
Chalaze
Chorion
Cicatricule
Coque
Coquille
Couver

D
Dur

E
Éclore
Éclosion

J
Jaune

N
Nid (2)

O
Œuf (2)
Omelette
Ovalbumine
Ovale
Oviducte
Ovipare

P
Pondre
Ponte
Poule

V
Vitellus

THÈME : AUTOMNE
6 lettres cachées

E	T	L	O	C	E	R	P	L	U	I	E
R	T	N	E	V	D	I	O	R	F	T	G
I	N	O	S	I	A	S	E	F	R	E	L
A	A	C	R	E	L	G	M	O	L	C	A
I	R	E	I	E	R	B	M	E	V	O	N
M	B	R	G	E	E	E	E	N	F	U	M
E	R	T	T	N	L	C	S	A	O	L	O
D	E	A	A	L	H	G	I	F	Y	E	T
N	N	F	I	A	A	T	R	E	E	U	U
E	U	U	S	U	E	F	B	I	R	R	A
V	E	S	T	R	A	P	E	D	S	S	I
F	E	R	O	T	E	E	G	U	O	R	R

A
Arbre nu
Âtre (2)
Automnal

B
Brise

C
Chasse
Ciel gris
Couleurs

D
Départ

F
Fane (2)
Feu
Feuille morte
Foyer
Froid

G
Gel
Gelée

N
Novembre

P
Pluie

R
Récolte
Regret
Rouge et or

S
Saison

V
Vendémiaire
Vent

THÈME : JEU DE SOCIÉTÉ

8 lettres cachées

S	K	J	T	U	T	D	Y	R	J	M	S
C	S	E	M	A	D	L	E	O	I	I	E
E	I	T	R	B	O	N	U	S	O	L	T
H	R	O	I	P	P	R	E	J	N	L	R
C	T	N	O	I	D	H	E	P	I	E	A
E	G	N	S	E	C	T	M	B	M	B	C
O	O	T	P	R	O	I	I	I	O	O	C
M	O	A	A	N	C	O	R	N	D	R	T
N	Y	P	S	R	G	L	P	G	A	N	P
E	S	E	D	E	D	P	U	O	C	E	D
K	N	U	L	P	R	E	K	E	C	S	E
N	O	I	T	A	V	A	R	G	G	A	S

A
Aggravation

B
Bingo (2)

C
Cartes
Clue
Coup de dés

D
Dames
Dés (2)
Domino

E
Échecs

G
Go

J
Jeton
Jetons
Jour de paye

K
Ker plunk

M
Mille bornes
Monopoly

P
Parchési
Pendu
Piston
Prime
Probe

R
Risk

T
Tarot

E	P	E	C	U	P	T	E	G	I	Z	T
L	E	K	U	L	Y	K	C	U	L	A	M
K	A	P	O	Z	O	B	X	H	H	I	N
N	N	O	E	Z	T	I	L	C	C	B	E
I	U	O	O	I	R	A	E	K	E	E	I
W	T	B	N	E	G	L	E	T	K	C	H
E	S	T	T	A	X	Y	T	O	A	A	C
I	I	S	F	I	M	Y	R	C	R	S	E
N	A	F	L	O	G	T	E	I	D	S	L
N	E	E	U	R	A	B	A	B	N	I	F
I	F	S	P	I	R	O	U	B	A	N	I
W	E	E	D	I	D	N	A	C	M	E	P

A
Astérix

B
Babar
Batman
Bécassine
Betty
Bicot
Boop
Bozo (2)

C
Candide

F
Félix le chat

L
Lagaffe
Lucky Luke

M
Mandrake
Mickey Mouse

P
Peanuts
Pif le chien

S
Spirou

T
Tintin

W
Winnie Winkle

Z
Zig et Puce

THÈME : MONTAGNE
6 lettres cachées

K	A	E	P	C	I	T	N	A	L	T	A
C	A	P	I	N	L	O	C	N	I	L	L
O	R	N	O	S	L	I	W	O	B	N	I
R	P	O	C	A	Y	A	L	E	S	O	Z
Y	I	R	P	H	M	O	R	L	S	L	A
E	S	I	I	A	E	T	B	P	A	I	R
N	S	Z	J	T	E	N	E	I	M	S	D
M	I	A	A	D	T	A	J	S	W	P	H
Y	S	B	W	S	N	E	V	U	O	Y	E
H	Y	A	R	U	O	O	R	I	N	R	A
C	R	N	G	E	L	E	E	T	S	G	D
D	H	A	U	L	A	G	I	R	I	O	A

A
Albert-Edward
Api (2)
Atlantic Peak

C
Chymney Rock

D
Dhaulagiri

G
Guna

K
Kanchenjunga

L
Lincoln
Lizard Head

O
Oeta
Orizaba
Ouray

P
Pissis

R
Ritter
Rose

S
Sajama
Siple
Snowmass
Steele

V
Viso

W
Wilson

Y
Yale
Ypsilon

M	T	E	S	U	B	E	U	Q	R	A	M
E	I	E	D	R	A	B	E	L	L	A	H
T	C	T	L	A	E	V	R	L	S	E	E
L	I	Z	R	O	I	P	P	S	F	P	E
U	M	C	A	A	T	O	E	V	E	I	E
P	E	P	L	G	I	S	E	E	O	E	R
A	T	G	I	G	O	L	I	L	L	U	B
T	E	I	N	Q	B	Z	L	P	L	V	A
A	R	A	R	E	U	I	A	E	F	A	S
C	R	C	O	T	S	E	R	G	T	E	B
D	E	T	E	U	Q	S	U	O	M	T	R
U	C	E	F	E	L	I	S	S	I	M	E

A
Arc
Arquebuse

B
Balle

C
Catapulte
Cimeterre

E
Écu
Épée (2)
Épieu
Estoc

F
Fer
Fusil

G
Gaz (2)
Glaive

H
Hallebarde

M
Masse
Missile
Mitraillette
Mousquet

O
Obus

P
Pique
Pistolet
Poignard

R
Rifle

S
Sabre

T
Tir

THÈME : SOLEIL

7 lettres cachées

P	T	N	O	I	T	A	L	O	S	N	I
R	N	T	N	A	H	C	U	O	C	P	R
O	E	R	O	R	U	A	E	S	H	O	L
T	M	E	B	A	U	B	E	O	D	E	U
U	E	L	O	R	U	E	T	E	O	R	M
B	N	U	N	A	I	O	L	S	T	T	I
E	N	C	D	L	S	L	L	A	E	S	E
R	O	A	E	P	I	Z	L	U	H	A	R
A	Y	F	H	U	H	C	A	E	I	C	E
N	A	E	O	A	E	A	I	G	R	R	R
C	R	H	E	S	P	I	L	C	E	E	E
E	R	E	H	P	S	O	M	O	R	H	C

A
Astre
Aube (2)
Aurore

B
Briller

C
Chaleur
Chromosphère
Couchant

E
Éclat
Éclipse
Est

F
Facule

G
Gaz

H
Halo
Houille d'or

I
Insolation

L
Luire
Lumière

O
Onde

P
Photosphère
Protubérance

R
Rayonnement

T	U	H	A	B	E	R	I	O	M	R	A
V	U	R	T	A	C	B	N	B	A	U	C
T	A	E	I	N	E	A	A	B	S	E	O
A	E	I	L	C	V	N	N	E	R	S	M
B	R	N	S	I	C	P	C	A	T	I	M
O	U	N	D	S	U	R	O	A	P	V	O
U	B	O	O	G	E	E	B	U	E	E	D
R	R	F	A	T	S	L	T	E	F	L	E
E	A	F	A	I	E	E	I	U	R	E	G
T	O	I	A	T	R	O	N	E	A	T	E
S	R	H	E	S	I	A	H	C	R	F	I
E	C	C	E	S	U	E	S	U	A	C	S

A
Armoire

B
Bahut
Banc (2)
Bar
Ber
Bureau

C
Canapé
Causeuse
Chaise (2)
Chiffonnier
Commode

D
Divan

F
Fauteuil

L
Lit

P
Pouf

S
Secrétaire
Siège
Sofa (2)

T
Table
Tabouret
Téléviseur
Trône

V
Vaisselier

THÈME : CANARD

8 lettres cachées

E	N	N	E	D	I	R	T	M	A	T	R
R	E	L	L	I	S	A	N	C	E	E	V
R	N	U	N	A	D	A	P	H	D	I	C
C	A	I	N	O	G	E	C	I	G	E	A
E	A	A	R	E	N	U	E	N	L	D	N
C	L	N	U	A	O	G	O	L	C	E	E
O	E	L	A	S	D	N	I	O	H	P	T
L	M	E	E	R	C	N	M	V	I	I	O
V	L	I	S	C	D	A	A	U	P	M	N
E	A	D	I	S	R	E	N	M	E	L	V
R	P	E	O	E	E	A	A	E	A	A	O
T	D	R	A	L	A	M	S	U	U	P	L

A
Anas

C
Canardeau
Cane
Caneton
Chipeau
Colvert

E
Eau
Eider (2)

M
Malard
Mandarin
Mare

N
Nage
Nasiller

O
Oiseau

P
Palme
Palmipède
Pilet

R
Ridenne

S
Sarcelle
Souchet

T
Tadorne

V
Vignon

F	U	P	R	I	O	S	O	R	R	A	N
E	P	A	R	U	A	E	S	I	C	I	E
L	E	T	E	I	O	P	X	F	U	C	D
C	L	S	E	T	I	U	L	Q	H	E	E
S	L	C	H	N	A	E	E	E	T	U	P
E	I	I	C	F	A	R	N	T	S	O	L
C	C	E	A	U	B	I	E	C	E	H	A
A	U	C	H	E	L	N	L	H	R	M	N
T	A	E	L	L	I	O	L	L	P	A	T
E	F	I	O	B	U	L	I	M	E	S	O
U	V	I	E	P	O	L	R	A	V	S	I
R	R	E	H	C	E	B	V	H	I	E	R

A
Arrosoir

B
Bêche
Binette

C
Ciseau
Clef
Clou

D
Déplantoir

E
Échenilloir

F
Faucille
Faux
Fléau

H
Hache
Hie
Houe

L
Lime.

M
Masse

P
Pince

R
Râpe
Râteau

S
Scie
Sécateur
Serpe

T
Tenaille

V
Varlope
Vilebrequin
Vrille

THÈME : TRIANGLE DES BERMUDES

7 lettres cachées

I	N	R	N	I	R	A	M	S	U	O	S
N	N	O	E	C	N	E	L	I	S	E	R
O	L	E	I	U	R	U	E	P	S	S	E
I	E	B	X	V	G	I	N	S	N	E	C
T	I	A	N	P	A	I	A	A	S	H	H
I	C	T	E	C	L	G	V	S	O	T	E
R	D	E	I	O	R	I	E	A	S	O	R
A	A	A	R	A	R	R	C	O	N	P	C
P	N	U	S	E	T	E	L	A	E	Y	H
S	G	S	A	E	N	E	M	U	B	H	E
I	E	U	D	N	I	U	R	V	O	L	S
D	R	E	L	L	I	R	D	A	C	S	E

A
Avion

B
Bateau

C
Ciel

D
Danger
Des Sargasses
Détresse
Disparition

E
Eau
Escadrille

H
Hypothèse

I
Inexplicable

M
Mer

N
Naviguer
Navire

P
Peur (2)

R
Recherches
Rien

S
Silence
Soleil
SOS
Sous-marin

V
Vol

M	E	R	D	N	E	R	P	P	A	R	S
A	R	E	I	D	U	T	E	B	C	E	R
I	P	E	V	M	E	L	U	L	A	N	I
T	T	A	N	E	U	L	I	I	H	T	O
R	S	S	G	S	L	A	G	R	I	R	V
E	E	E	E	E	E	E	E	E	E	E	E
C	T	R	T	T	G	I	T	L	R	E	D
O	O	I	A	L	L	U	G	V	B	S	I
U	N	R	E	O	D	T	I	N	I	A	U
R	E	C	C	E	R	L	E	D	A	C	T
S	O	E	R	T	I	P	U	P	E	N	E
N	N	O	I	T	A	E	R	C	E	R	T

A
Apprendre

B
Bulletin

C
Cahier
Cours

D
Devoirs

E
Écolier
Écrire
Élève
Enseignant

Étude
Étudier
Étui (2)

G
Guide

L
Leçon
Lire (2)
Livre

M
Maître

N
Notes

P
Page
Pupitre

R
Récréation
Règle
Rentrée

S
Sac

T
Tableau
Test

THÈME : DÉFAUT
8 lettres cachées

I	X	U	E	I	R	U	C	M	M	M	I
R	B	U	B	I	T	N	E	L	A	T	V
U	U	E	E	A	N	C	E	L	L	N	R
S	T	E	R	I	H	S	H	L	I	A	O
E	A	G	T	A	V	O	A	U	E	E	G
N	N	N	N	N	N	N	N	N	N	N	N
I	I	T	S	N	E	V	E	O	E	I	E
A	C	L	E	C	T	M	O	R	C	A	R
I	I	T	A	O	O	L	E	L	A	F	I
S	E	V	I	M	Z	E	R	O	E	V	E
O	E	D	N	A	M	R	U	O	G	U	A
T	I	X	U	E	S	S	E	R	A	P	R

A
Aliéné
Avare

B
Bête

C
Cave
Con
Curieux

E
Envieux

F
Fainéant

G
Gourmand

I
Idiot
Ingrat
Insane
Ivrognerie

L
Lent

M
Malhonnête
Malin
Méchant
Menteur

N
Niais
Nul

P
Paresseux

R
Rusé

S
Sans-cœur
Sot

V
Voleur

Z
Zéro

E	G	R	E	T	U	N	A	M	E	E	A
T	S	U	I	D	E	M	E	C	L	U	E
T	E	E	L	G	N	O	U	Y	R	D	R
E	E	C	U	O	P	O	T	I	D	I	I
G	G	C	M	G	P	C	C	P	I	G	A
N	A	N	N	E	A	U	X	I	X	I	L
A	N	O	M	D	L	B	I	E	O	T	U
L	T	J	Y	A	P	E	D	D	R	A	N
A	S	L	I	I	J	N	C	O	T	L	N
H	O	R	E	P	I	E	C	N	E	A	A
P	E	D	U	A	N	E	U	Q	I	H	C
R	E	I	T	G	I	O	D	R	L	P	N

A
Anneau
Annulaire
Auriculaire

B
Bague

C
Chiquenaude
Cor

D
Digital
Dix (2)
Doigtier

G
Gants

I
Index

J
Jonc

M
Majeur
Manuterge
Médius

O
Onglée
Orteil

P
Phalangette
Pied (2)
Pince
Polydactyle
Pouce (2)

THÈME : ENCRE
11 lettres cachées

D	E	S	S	E	R	P	T	P	T	L	E
R	S	E	P	E	C	A	L	A	V	I	S
A	T	I	U	E	M	R	C	T	R	Q	R
V	Y	E	N	P	R	H	I	E	I	U	S
U	L	E	O	D	E	U	M	R	B	I	E
B	O	N	G	T	E	I	T	A	E	D	N
P	G	O	O	A	R	L	N	I	E	E	C
L	R	E	M	P	P	S	E	R	R	L	R
U	A	R	M	A	T	H	I	B	I	C	I
M	P	I	E	Y	C	O	E	R	I	L	E
E	H	L	L	A	N	R	U	O	J	L	R
R	E	O	T	E	E	G	A	R	C	N	E

B
Bleue
Buvard

E
Écrire
Écriture
Encrage
Encrier

G
Gomme

I
Imprimerie
Indélébile

J
Journal

L
Lavis
Liquide
Lire (2)

N
Noire

P
Page
Pâté
Plume
Presse

R
Ruban

S
Stylo
Stylographe

T
Tache (2)
Tampon

R	E	I	R	D	A	M	P	R	O	L	E
E	H	C	U	O	S	B	L	I	F	I	C
P	E	V	E	S	R	C	U	D	L	B	R
A	E	E	M	A	R	E	N	C	T	E	O
U	S	P	N	S	R	U	D	O	H	R	C
B	E	C	I	T	Y	U	L	R	R	E	E
I	H	B	I	N	E	L	D	D	A	T	R
E	C	I	T	E	I	R	V	E	R	E	O
R	N	F	I	B	R	E	O	E	B	N	N
E	A	R	E	B	I	L	R	F	R	E	D
T	L	E	E	N	I	E	V	E	E	B	I
S	P	R	E	N	I	C	S	A	F	E	N

A
Arbre
Aubier

B
Billot
Branche
Bûche

C
Corde

D
Dur (2)

E
Ébène
Écorce

F
Fascine
Fibre
Fil
Forêt

L
Liber (2)

M
Madrier

P
Pépinière
Pile
Planche

R
Ramée
Rôle
Rondin

S
Scie
Sève
Souche
Stère
Sylve

T
Tronc

V
Veine

THÈME : PLANTE POTAGÈRE

8 lettres cachées

E	O	T	E	V	A	N	E	S	C	T	E
E	T	R	E	S	A	T	I	O	O	G	L
V	H	T	A	V	A	D	I	P	R	C	L
A	A	S	O	T	A	N	I	E	T	A	I
R	R	L	A	R	A	N	P	E	N	N	U
E	I	P	E	M	A	S	H	S	E	T	O
T	C	S	S	M	A	C	O	P	M	A	R
T	O	I	B	R	A	J	I	A	I	L	T
E	T	O	E	C	A	N	I	N	P	O	I
B	U	P	H	V	A	D	G	A	A	U	C
R	N	O	D	R	A	C	I	I	I	P	F
I	U	S	D	T	A	R	O	S	L	I	A

A
Ache
Ail (2)
Asperge

B
Betterave

C
Cantaloup
Cardon
Carotte
Chou
Citrouille

E
Épinard
Ers

H
Haricot

I
Igname

M
Manioc

N
Navet (2)

P
Panais
Patate
Piment
Pois

R
Radis (2)
Rave

S
Soja

T
Taro (2)
Topinambour

E	E	O	U	D	R	O	C	C	A	C	E
L	L	R	A	M	R	E	T	O	N	L	M
C	E	N	T	T	U	A	S	O	C	U	U
S	S	S	S	S	S	S	S	S	S	S	S
E	Y	E	E	O	E	N	I	I	A	O	E
E	A	M	L	I	A	H	C	C	N	B	R
M	T	M	P	H	D	I	C	A	A	S	E
H	E	A	C	H	E	I	T	R	L	L	N
T	M	G	Q	N	O	E	R	I	O	N	A
Y	P	T	R	E	C	N	O	C	M	O	D
R	O	I	T	T	U	T	I	U	E	T	E
E	N	I	T	A	N	O	S	E	B	E	E

A
Accord

B
Basse
Bémol

C
Chanson
Clé (2)
Concert

D
Danse
Dièse
Duo

G
Gamme

M
Maestro
Muse
Musical
Musicien

N
Noire
Note (2)

O
Orchestre

R
Rythme

S
Sérénade
Sol
Sonate
Sonatine
Symphonie

T
Tempo
Tutti

THÈME : CHIRURGIE
9 lettres cachées

N	N	N	A	N	O	I	T	A	L	B	A
L	O	O	R	E	R	U	T	U	S	N	T
I	I	I	E	D	N	O	S	N	E	G	N
T	S	T	T	S	E	O	A	S	N	O	E
H	I	C	P	N	P	P	T	A	I	E	M
O	C	E	T	E	E	H	S	T	R	R	U
T	N	S	R	R	E	V	A	E	E	I	R
R	O	E	T	S	P	T	R	I	S	G	T
I	C	R	I	M	U	I	E	E	R	N	S
T	R	E	A	P	N	G	A	N	T	E	N
I	I	L	M	E	U	Q	S	A	M	N	I
E	C	A	I	R	U	O	T	S	I	B	I

A
Ablation
Amputation
Anesthésie

B
Bistouri

C
Circoncision
Clamp

E
Érigne
Érine (2)

G
Gant

I
Instrument
Intervention

L
Lithotritie

M
Masque

O
Opéré

R
Résection

S
Sang
Sonde
Suturer

T
Trépan

C	R	G	R	T	I	U	C	R	I	C	E
O	O	U	E	U	T	L	O	V	E	E	R
U	T	N	E	N	E	N	O	I	L	C	R
L	T	T	D	T	E	T	Y	E	I	L	E
O	N	F	A	E	A	R	C	E	P	A	N
M	A	O	S	W	N	T	A	U	N	I	N
B	R	U	E	E	R	S	U	T	D	R	O
F	U	D	H	O	L	A	A	M	E	N	T
A	O	R	D	V	E	O	H	T	M	U	I
R	C	E	O	S	R	O	P	G	E	O	R
A	I	L	E	L	B	I	S	U	F	U	C
D	T	R	E	N	O	I	S	N	E	T	R

C
Circuit
Commutateur
Condensateur
Coulomb
Courant

E
Éclair
Électrode

F
Farad
Foudre
Fusible

G
Générateur

H
Henry

I
Inducteur
Ion

O
Ohm

P
Pile
Pôles

R
Réseau

T
Tension
Tonnerre

V
Volt (2)

W
Watt

THÈME : PÊCHE
6 lettres cachées

C	E	H	C	E	U	G	A	R	D	A	M
H	A	S	I	R	O	D	E	G	E	R	D
A	E	N	O	C	E	M	A	H	R	T	D
L	P	T	N	L	R	S	E	N	N	E	D
I	U	F	T	E	A	N	M	T	V	R	S
E	O	O	V	U	A	C	A	O	O	U	L
U	L	L	O	S	L	P	N	G	R	O	A
T	A	L	S	I	P	R	E	A	D	B	N
I	H	E	G	A	R	E	U	C	B	I	C
Q	C	N	T	E	L	I	F	T	H	L	E
U	E	T	E	N	I	L	U	O	M	E	R
E	D	N	O	S	E	D	B	M	O	L	P

A
Agrès
Appât

B
Banc

C
Canne à pêche
Chaloupe

D
Devon
Doris
Drège

E
Èche

F
Filet
Folle

G
Gord

H
Halieutique
Hameçon

L
Lac
Lancer
Libouret
Ligne

M
Madrague
Moulinet

N
Nasse

P
Plomb de sonde

S
Senne

T
Turlutte

V
Ver

G	O	U	R	B	I	L	E	T	O	H	R
A	N	O	U	A	A	C	M	O	R	L	E
B	B	O	B	P	I	S	L	A	E	T	R
R	S	S	S	F	R	G	T	L	S	O	E
I	I	I	I	I	I	I	I	I	I	I	I
D	M	D	G	T	A	C	S	P	D	T	M
E	E	M	E	O	I	M	A	O	E	E	U
M	M	O	E	M	L	L	T	T	N	H	A
E	O	O	O	U	A	R	U	O	C	U	H
U	H	D	H	I	B	E	T	N	E	T	C
R	C	A	S	T	E	L	T	E	N	T	E
E	R	E	T	Y	B	S	E	R	P	E	E

A
Abri

B
Bastide

C
Castel
Chaumière
Cour

D
Demeure
Domicile

E
Édifice

G
Gîte
Gourbi

H
Home (2)
Hôtel
Hutte

I
Igloo
Immeuble
Isba (2)

L
Logis

M
Maison
Mas

P
Palais
Presbytère
Prison

R
Résidence

T
Tente (2)
Toit

THÈME : LANGAGE
7 lettres cachées

T	I	B	E	D	T	N	E	C	C	A	N
B	E	R	I	A	L	U	B	A	C	O	V
N	I	U	O	G	A	R	A	B	I	A	J
R	E	L	L	I	B	A	B	S	A	I	A
E	D	L	R	T	J	V	S	L	P	B	S
B	I	C	O	A	E	E	A	A	H	A	E
R	R	R	R	R	R	R	R	R	R	R	R
E	E	G	V	P	A	G	M	O	A	A	E
V	O	O	X	T	O	P	M	E	S	H	L
N	I	E	O	T	L	A	R	O	E	C	R
X	D	N	R	E	L	U	C	I	T	R	A
N	O	I	T	U	C	O	L	E	E	S	P

A
Accent
Argot
Articuler

B
Babiller
Baragouin

C
Charabia
Cri

D
Débit
Dire

E
Élocution
Expression

J
Jargon
Jaser

M
Mots

O
Oral (2)

P
Parler
Parole
Phrase

T
Terme
Ton

V
Verbe
Vocabulaire
Voix

T	E	L	L	I	E	O	P	T	A	R	E
P	J	I	X	I	A	O	O	X	A	M	E
S	A	L	I	L	M	V	E	H	E	G	M
H	C	A	A	P	A	E	P	H	L	J	U
E	I	S	O	P	S	U	T	A	U	O	I
N	N	N	N	N	N	N	N	N	N	N	N
I	T	I	E	E	A	T	I	L	I	Q	A
O	H	P	N	S	I	M	I	E	R	U	R
V	E	E	Y	N	S	S	O	N	G	I	E
I	A	R	E	A	S	I	R	I	U	L	G
P	H	M	J	E	L	U	E	I	A	L	G
C	E	H	C	N	E	V	R	E	P	E	E

A
Axe

C
Chrysanthème

E
Églantine
Épi

G
Géranium
Glaïeul

I
Inule (2)
Iris
Ixia

J
Jacinthe
Jasmin
Jonquille

L
Lilas (2)
Lis

N
Nénuphar

O
Œillet

P
Pavot
Pensée
Pervenche
Pivoine
Pompon

THÈME : ASTRONOMIE

5 lettres cachées

E	L	C	Y	C	N	R	N	A	D	I	R
O	D	E	B	L	A	O	Z	A	G	E	T
E	C	A	E	S	S	I	Y	E	X	R	C
D	T	C	L	S	M	L	Q	A	O	A	O
U	U	U	U	U	U	U	U	U	U	U	U
T	P	N	T	L	I	E	S	N	O	R	R
I	O	S	I	N	T	N	L	R	E	O	O
N	N	E	O	V	O	A	B	U	H	R	N
G	D	X	N	I	E	I	T	A	B	E	N
A	E	O	R	U	T	R	L	I	M	E	E
M	V	S	R	E	L	O	S	E	O	A	N
A	E	T	I	R	O	E	T	E	M	N	S

A
Albédo
Amas
Aurore
Axe
Azimuts

C
Couronne
Cycle

E
Équinoxe

G
Gaz

H
Halo

L
Lune (2)

M
Magnitude
Météorite

N
Nadir
Nébuleuse
Nova
Noyau

O
Occultation
Onde
Orbite

P
Pulsar

T
Trous noirs

U
Univers

E	S	I	D	N	A	M	R	U	O	G	R
E	U	Q	I	N	E	U	Q	I	P	E	S
N	O	H	C	N	U	L	B	M	V	A	R
U	N	E	M	O	U	O	E	E	P	S	E
R	R	E	G	A	L	T	I	E	N	T	S
R	E	P	U	O	S	L	R	R	U	R	T
G	N	N	R	E	L	B	A	T	T	E	A
O	U	U	I	O	S	U	O	T	R	V	U
U	E	I	N	D	S	F	I	L	I	U	R
T	J	N	T	E	E	F	U	D	T	O	A
E	E	A	L	I	M	E	N	T	I	C	N
R	D	R	E	N	I	T	S	E	F	M	T

A
Aliment

B
Bol (2)
Buffet

C
Collation
Couverts

D
Déjeuner
Dîner

F
Festin

G
Gourmandise
Goûter

L
Lunch

M
Menu (2)
Mess
Mets
Midi

N
Nutritif

P
Pique-nique

R
Régal
Repas
Restaurant
Réveillonner

S
Souper

T
Table

THÈME : CONIFÈRE
11 lettres cachées

E	R	D	E	C	Y	P	R	E	S	E	A
V	N	S	A	Y	U	H	T	A	N	G	I
A	E	I	E	R	F	Y	B	O	Y	E	N
I	P	R	P	Q	I	L	C	M	C	N	O
R	I	E	T	A	U	L	N	R	Y	E	T
A	N	N	E	S	E	O	D	F	P	V	G
C	E	I	T	A	S	C	I	E	R	R	N
U	T	S	R	P	I	L	I	A	E	I	I
A	T	E	E	I	O	A	N	P	S	E	L
R	E	R	V	N	B	D	O	E	E	R	L
A	M	E	L	L	I	U	G	I	A	L	E
E	Z	E	L	E	M	S	A	P	I	N	W

A
Aiguille
Araucaria

B
Bois

C
Cèdre
Cône
Cyprès (2)

E
Épicéa
Épinette

G
Genévrier
Gymnosperme

I
If (2)

M
Mélèze

P
Phyllocladus
Pin

R
Résine

S
Sapin (2)
Séquoia

T
Thuya

V
Vert (2)

W
Wellingtonia

THÈME : ABEILLE
10 lettres cachées

C	I	R	E	F	R	E	N	I	T	U	B
E	H	T	N	A	L	I	H	P	E	A	R
A	E	P	I	U	I	C	E	C	U	P	E
S	P	M	E	X	U	I	E	M	Q	R	H
O	M	I	R	B	N	L	M	I	I	O	C
C	O	E	C	O	L	S	E	A	T	V	U
I	R	L	L	U	E	L	L	S	S	I	R
E	T	O	L	R	L	V	O	S	E	S	M
T	C	E	U	D	E	T	E	E	M	I	E
E	S	Q	T	O	S	F	U	E	O	O	L
M	I	E	L	N	E	D	A	R	D	N	O
P	U	E	R	S	L	A	R	V	E	S	E

A
Alvéole
Apiculture

B
Butiner

C
Cellules
Cire
Colonie

D
Dard
Domestique

E
Essaim

F
Faux bourdons

L
Larves

M
Méloé (2)
Miel (2)

O
Œufs

P
Philanthe
Piqûres
Provisions

R
Reine
Rucher

S
Société

T
Trompe

THÈME : CRUSTACÉ
8 lettres cachées

R	E	N	I	L	U	C	C	A	S	E	S
E	L	C	E	N	A	L	A	B	P	I	U
M	A	S	R	T	E	C	O	O	E	N	P
E	N	U	U	E	R	O	L	P	L	H	A
D	G	P	E	A	V	C	Z	Y	L	P	C
E	O	A	B	F	Y	I	T	R	I	A	R
C	U	E	E	C	I	A	S	E	R	D	E
U	S	C	O	P	L	T	C	S	T	R	V
P	T	I	Z	I	I	N	A	R	E	A	E
M	E	R	T	T	I	N	E	N	A	M	T
E	T	R	O	P	O	L	C	U	A	O	T
R	E	E	S	U	E	A	N	E	P	H	E

A
Anatife
Apus (2)

B
Balane
Bopyre

C
Cirre
Cloporte
Crabe
Crevette
Cyclope

D
Daphnie

E
Écrevisse
Étrille

H
Homard

L
Langouste

M
Mer

P
Penaeus
Pince (2)
Puce de mer

S
Sacculine

T
Talitre

Z
Zoé (2)

S	N	O	I	T	A	V	R	E	S	B	O
M	R	F	T	R	O	P	P	A	R	R	E
A	E	E	I	M	E	N	N	E	G	C	R
N	R	M	N	L	A	S	L	A	I	E	E
O	D	M	I	G	E	L	N	V	L	R	M
E	N	E	E	S	I	I	R	I	R	I	O
U	O	N	L	E	S	E	F	E	E	O	U
V	T	C	V	A	S	A	S	R	I	M	C
R	E	R	T	U	T	U	I	N	P	E	H
E	U	I	G	E	R	E	R	R	E	M	A
S	O	R	T	A	S	T	U	C	E	R	R
N	A	S	R	E	G	N	A	R	T	E	D

A
Agent
Argus
Arme
Astuce

D
Délateur

E
Émissaire
Ennemi
Épier
Étranger

F
File
Filer

M
Manœuvre
Mémoire
Mouchard

N
Note

O
Observations
Organisation

R
Rapport
Renseigner
Ruse
Ruser

S
Service
Surveiller

THÈME : LITERIE
9 lettres cachées

D	E	T	S	N	I	S	S	U	O	C	C
E	R	S	A	L	E	T	A	M	B	O	H
O	U	A	T	I	N	D	T	T	U	T	O
C	T	Q	P	I	E	I	R	R	I	O	U
A	R	L	I	S	L	S	T	E	N	N	S
T	E	A	Q	P	L	E	L	I	D	E	S
A	V	I	U	N	P	A	R	P	S	O	E
L	U	N	E	O	C	T	I	V	A	S	N
O	O	E	I	R	A	U	I	N	U	R	U
G	C	N	E	I	P	L	U	M	E	O	D
N	T	P	E	L	L	E	N	A	L	F	C
E	T	S	S	R	E	L	L	I	E	R	O

C
Catalogne
Coton
Courtepointe
Coussins
Couverture
Couvre-lit

D
Drap
Draps

E
Édredon

F
Flanelle

H
Housse

L
Laine (2)
Lit

M
Matelas

O
Oreillers

P
Percale
Piqué (2)
Plume

S
Satin

T
Taies (2)
Tissu

U	A	E	N	N	O	T	L	U	A	E	S
R	E	N	R	E	T	I	C	U	L	E	C
E	E	C	O	T	R	L	A	C	O	B	H
C	N	E	E	A	O	P	F	E	E	P	A
I	C	T	B	L	A	U	L	F	T	A	U
P	R	U	A	N	L	L	R	A	U	N	D
I	I	I	I	I	I	I	I	I	I	I	I
E	E	E	E	E	E	E	E	E	E	E	E
N	R	N	T	S	C	N	T	B	B	R	R
T	P	U	R	R	S	I	S	U	R	R	E
L	O	B	I	U	O	A	T	U	F	O	E
B	T	N	T	B	C	G	T	A	N	K	C

B
Baril
Bocal
Boîte
Bol
Bouteille

C
Chaudière
Citerne
Corbeille

E
Écrin
Encrier
Étui (2)

F
Fût

G
Gaine

P
Panier (2)
Pot

R
Récipient
Réticule

S
Sac
Seau

T
Taie (2)
Tank
Tasse
Tonneau
Tourie
Tube

U
Urne

117

THÈME : ESCLAVAGE

10 lettres cachées

R	E	T	I	L	I	V	R	E	S	C	A
S	I	S	E	E	T	I	N	N	U	O	E
E	E	H	G	H	E	R	O	O	E	N	R
C	R	A	C	B	C	R	A	N	I	T	T
N	G	C	O	N	R	R	C	V	R	R	I
A	A	A	A	A	A	A	A	A	A	A	A
D	S	P	M	P	N	R	V	M	E	I	M
N	T	T	F	J	T	A	F	S	E	N	L
E	U	U	E	F	U	I	O	F	R	T	T
P	L	R	R	X	T	P	F	I	A	E	R
E	E	E	S	S	E	R	V	I	L	E	F
D	S	R	E	L	U	D	O	R	E	I	H

A
Affranchir

C
Captif
Capturer
Contrainte

D
Dépendance

E
Encan
Ergastule
Ésope

F
Fers (2)

G
Gage

H
Hiérodule

M
Maître
Marché
Marron

N
Noir

O
Obéir

S
Serf
Servile
Servilité

T
Travail
Travaux

O	O	E	S	S	I	V	O	L	C	L	E
R	A	R	T	E	R	A	T	B	N	I	N
E	L	T	M	I	C	O	N	E	E	T	I
I	U	I	Y	E	G	N	T	G	P	H	A
L	D	U	E	R	A	C	O	M	L	O	L
L	A	H	A	C	E	U	U	Y	U	D	E
E	R	C	R	P	A	R	P	E	O	O	C
D	S	E	R	N	E	L	V	I	P	M	R
E	N	O	C	X	E	A	M	U	N	E	O
M	E	H	C	I	E	S	U	A	E	N	P
E	D	I	T	O	I	L	A	H	R	I	E
R	E	N	G	I	E	P	E	L	R	E	P

C
Calmar
Clovisse
Cône

E
Escargot

H
Haliotide
Huître

L
Lithodome

M
Murex
Mye (2)

N
Nacre

O
Oreille de mer
Ormeau

P
Pecten
Peigne

Perle
Pieuvre
Pinne
Porcelaine
Poulpe

R
Radula

S
Seiche

T
Taret

THÈME : DÉNOMINATION HONORIFIQUE

6 lettres cachées

M	N	R	E	I	L	A	V	E	H	C	R
A	A	S	E	R	T	I	A	M	D	E	U
H	T	D	I	R	E	P	E	A	R	M	E
A	L	P	E	R	I	P	R	D	O	I	N
R	U	R	A	M	E	S	I	N	L	N	G
A	S	E	E	D	O	T	S	D	I	E	I
D	C	B	R	B	I	I	S	E	U	N	E
J	B	O	E	E	E	C	S	E	M	C	S
A	N	G	M	U	P	C	H	E	J	E	N
H	U	A	R	T	M	O	D	A	L	A	O
M	D	N	E	R	E	V	E	R	H	L	M
E	E	H	C	R	A	I	R	T	A	P	E

A
Abbé

B
Bégum

C
Chevalier
Comte

D
Dame (2)
Dom
Duc

E
Éminence

L
Lord

M
Mademoiselle
Maharadjah
Maître
Majesté
Messire
Monseigneur
Monsieur

P
Padichah
Patriarche
Père (2)

R
Révérend

S
Sire (2)
Sultan

THÈME : MAGASIN

8 lettres cachées

E	S	I	D	N	A	H	C	R	A	M	N
I	V	E	G	A	L	A	T	E	R	O	R
T	F	E	X	I	R	P	V	E	I	A	C
N	A	E	N	M	P	I	I	T	Y	R	L
A	C	A	S	T	T	N	C	O	E	I	V
R	T	A	S	R	A	A	N	D	C	O	E
A	U	O	I	P	F	I	I	E	I	T	N
G	R	N	T	S	X	T	R	T	V	P	D
G	E	T	I	O	S	I	C	E	R	M	E
D	E	T	A	I	L	E	O	A	E	O	U
E	A	R	T	I	C	L	E	H	S	C	S
S	I	A	B	A	R	T	A	H	C	A	E

A
Achat
Article

C
Caisse
Choix
Comptoir
Crédit

D
Détail

E
Étalage
Éventaire

F
Facture

G
Garantie
Gros

L
Lot

M
Marchandise

P
Panier
Prix

R
Rabais
Rayon

S
Sac (2)
Satisfaction
Service

V
Vendeuse
Vitrine

THÈME : CHAUFFAGE
7 lettres cachées

E	L	I	U	H	E	M	M	A	L	F	E
R	F	A	S	U	L	G	U	D	H	S	R
U	O	C	E	I	E	A	A	U	I	C	E
T	Y	F	H	A	O	Z	E	A	V	H	F
A	E	B	T	A	P	B	N	H	E	A	I
R	R	R	O	B	R	R	R	C	R	R	R
E	E	S	U	I	U	B	U	T	S	B	O
P	S	C	U	O	S	T	O	I	T	O	L
M	H	U	F	I	R	E	F	N	E	N	A
E	E	N	I	M	E	H	C	S	R	E	C
T	E	R	T	E	M	O	M	R	E	H	T
E	L	B	I	T	S	U	B	M	O	C	R

A
Âtre

B
Bois (2)
Bûche

C
Calorifère
Charbon (2)
Chaud
Cheminée
Combustible

E
Enfer

F
Feu
Flamme
Fournaise
Fourneau
Foyer

G
Gaz

H
Hiver
Huile

P
Poêle

S
Stère
Suie (2)

T
Température
Thermomètre

R	E	G	A	S	S	E	M	N	A	T	N
V	N	O	I	T	A	N	I	M	O	D	P
O	U	T	L	G	N	H	V	L	A	R	U
L	T	R	E	A	P	A	E	O	I	T	I
G	R	O	S	A	R	G	H	N	L	I	S
A	E	N	R	D	N	C	C	C	E	R	S
R	V	E	U	A	C	I	H	R	S	P	A
D	S	L	E	I	P	L	I	A	E	S	N
I	I	L	E	A	H	P	A	R	N	E	C
E	Q	L	U	C	I	F	E	R	U	G	E
N	E	T	N	I	B	U	R	E	H	C	E
S	E	G	N	A	S	I	A	V	U	A	M

A
Ailes (2)
Angelot
Archange

C
Chant
Chérubin
Ciel
Créé

D
Domination
Dulie

E
Esprit

G
Gardien

L
Lucifer

M
Mauvais anges
Messager

P
Principauté
Puissance

R
Raphaël

S
Séraphin

T
Trône

V
Vertu
Vol (2)

THÈME : FOURRURE
5 lettres cachées

N	T	O	L	E	C	O	L	L	E	C	S
E	O	D	R	A	N	E	R	I	H	L	K
T	N	S	P	I	M	A	R	I	P	Y	N
I	D	E	I	R	U	E	N	A	T	N	U
M	A	I	U	V	T	C	E	Z	E	X	K
U	T	M	B	E	H	N	O	E	C	S	S
S	R	O	L	I	I	R	N	R	U	A	C
S	A	L	L	L	I	N	A	T	R	R	A
O	E	L	E	L	V	A	I	R	E	I	S
P	A	B	L	O	C	A	N	A	U	G	T
O	I	E	R	T	U	O	L	M	I	U	O
Z	N	I	D	N	O	G	A	R	L	E	R

B
Boa

C
Castor
Chinchilla
Cuir

E
Écureuil

G
Guanaco

L
Loutre
Lynx

M
Martre
Mite
Murmel

O
Ocelot
Ondatra
Opossum

P
Peau
Pelleterie

R
Ragondin
Renard

S
Sarigue
Skunks

T
Tan (2)

V
Vair
Vison

Z
Zibeline
Zorille

E	I	U	L	P	T	O	L	F	P	E	E
O	C	P	H	R	T	N	O	P	L	T	D
R	N	A	E	N	E	L	I	E	O	A	A
A	A	A	L	I	A	E	R	U	N	N	N
G	G	G	G	G	G	G	G	G	G	G	G
E	E	E	R	R	O	E	E	A	E	T	I
R	U	E	E	A	S	A	C	V	U	I	A
A	R	S	D	R	I	N	S	R	R	N	B
M	I	M	E	N	A	N	E	I	U	L	P
L	E	V	Q	E	O	A	S	I	S	O	U
R	A	E	C	T	N	E	R	R	O	T	S
E	G	O	U	T	T	E	U	Q	A	L	F

A
Averse

B
Baignade

E
Égout (2)
Étang

F
Flaque
Flot

G
Glace
Goutte
Grain
Grêle
Grésil

I
Île

M
Mare
Mer

N
Nage
Nageur
Neige
Nuage

O
Oasis (2)
Océan
Ondée
Orage

P
Plongeur
Pluie (2)
Pont

S
Source

T
Torrent

V
Vague

SOLUTIONS

1. Godillot
2. Réveillon
3. Serpenteau
4. Tournant
5. Prisonnier
6. Oviparité
7. Enivrer
8. Indigotine
9. Écho
10. Rondeur
11. Pékinois
12. Vêtements
13. Assiette
14. Clarté
15. Civisme
16. Souffleter
17. Varicelle
18. Tragédie
19. Baiser
20. Employeur
21. Taverne
22. Ancêtre
23. Guitare
24. Brette
25. Neptunium
26. Chaîne
27. Enchâsser
28. Comptable
29. Verglas
30. Décoction

31. Cheddar
32. Pantalon
33. Châtier
34. Février
35. Soubassement
36. Fâcheuse
37. Célébrer
38. Sombrero
39. Mitaines
40. Degré
41. Congélation
42. Fauteuil
43. Permis
44. Projection
45. Anniversaire
46. Polaire
47. Chute
48. Échevelé
49. Pied-à-terre
50. Demi-sang
51. Conte
52. Aparté
53. Protection
54. Fermière
55. Campagne
56. Micaschiste
57. Gavotte
58. Oronge
59. Poisson
60. Descente

SOLUTIONS

61.	Licence	91.	Inconnu
62.	Infirme	92.	Matière
63.	Papillons	93.	Imbécile
64.	Quilles	94.	Empan
65.	Lunette	95.	Épistolaire
66.	Aéroport	96.	Débiter
67.	Alarme	97.	Salsifis
68.	Réchauffer	98.	Classique
69.	Interlocuteur	99.	Aseptiser
70.	Glisser	100.	Énergie
71.	Graminées	101.	Mordre
72.	Progresser	102.	Roulotte
73.	Signataire	103.	Bavarde
74.	Chrysolite	104.	Phanérogame
75.	Moto	105.	Astre
76.	Vénal	106.	Nourriture
77.	Ordre	107.	Arbre de Noël
78.	Bouquet	108.	Apiculteur
79.	Clocheton	109.	Tourteau
80.	Coucher	110.	Secrets
81.	Albumine	111.	Bonne nuit
82.	Frémir	112.	Coffret
83.	Trictrac	113.	Assujettir
84.	Hergé	114.	Bigorneau
85.	Robson	115.	Prince
86.	Révolver	116.	Emplette
87.	Solaire	117.	Attiser
88.	Bergère	118.	Angélique
89.	Macreuse	119.	Lapin
90.	Pioche	120.	Phréatique